SOMMAIRE

Avant d'aborder l'œuvre

La Peur et autres contes fantastiques

Guy de Maupassant

Pour approfondir

Petits Classiques
LAROUSSE

Collection fondée par Félix Guirand,
Agrégé des Lettres

La Peur

et autres contes fantastiques

Guy de
Maupassant

Édition présentée,
annotée et commentée
par Dominique TROUVÉ,
agrégée de lettres modernes

ISBN : 978-2-03-584445-3

AVANT D'ABORDER L'ŒUVRE

Fiche d'identité de l'auteur

Maupassant

Nom : Guy de Maupassant.

Naissance : 5 août 1850, en Normandie.

Famille : son père, Gustave de Maupassant, récemment anobli, est agent de change ; il a laissé l'image négative d'un homme superficiel, infidèle et violent. Sa mère est la fille d'un filateur normand ; elle est cultivée, amie d'enfance de Flaubert. Un jeune frère, Hervé, né en 1856, meurt fou en 1889. Ses parents se séparent quand il a dix ans.

Enfance : études en Normandie à l'institution ecclésiastique d'Yvetot. Il rencontre le peintre Gustave Courbet, le poète anglais A.C. Swinburne et devient l'ami de Flaubert. La guerre de 1870 ruine sa famille : il ne peut poursuivre ses études de droit.

Profession : employé au ministère de la Marine puis des Colonies. À trente ans, il devient journaliste et publie ses premiers récits dans différents journaux.

Femmes : célibataire endurci, il considère que tout mariage est voué à l'échec. C'est un don Juan qui rêve d'une femme idéale sans la trouver.

Carrière : il publie sa première nouvelle à vingt-cinq ans, « La Main d'écorché ». « Boule de suif », « un chef-d'œuvre » selon Flaubert, est son premier succès. Entre trente et quarante ans, il écrit trois cents contes dont « Le Horla » en 1887 ainsi que six romans.

Maladie : à vingt-huit ans, il ressent les premiers troubles de la syphilis, maladie incurable. À quarante ans, sa santé se détériore. Il souffre de migraines, de crises d'angoisse, d'hallucinations, premiers symptômes d'une maladie mentale à laquelle le prédisposent ses antécédents familiaux.

Mort : Guy de Maupassant meurt fou le 6 juillet 1893 à quarante-trois ans, interné dans la clinique du docteur Blanche, un psychiatre célèbre.

Pour ou contre Maupassant ?

Pour

ZOLA :

« On le comprenait parce qu'il était la clarté, la simplicité, la mesure et la force... »

Discours de Zola aux obsèques de Maupassant, 7 juillet 1893.

Louis FORESTIER :

« Démence de Maupassant ? Plutôt implacable aventure d'une conscience qui reflète le monde, et lucide odyssée d'une écriture. »

Préface aux *Contes et nouvelles de Maupassant,* Gallimard, La Pléiade, 1974.

Contre

Louis Ferdinand CÉLINE :

« Tout doit nous éloigner de Maupassant. La route qu'il suivait, comme tous les naturalistes, mène à la mécanique, aux usines Ford, au cinéma – Fausse route ! »

Louis Ferdinand Céline, 1938, cité dans *Pour et contre Maupassant : enquête internationale, 147 témoignages inédits,* Nizet, 1955.

Charles DANTZIG :

« Maupassant, pas beaucoup d'art. Rien de brillant, aucune grande belle phrase. Ni même de grande laide. Cherchant à être simple, il peut être banal. »

Dictionnaire égoïste de la littérature française, Grasset, 2005.

Repères chronologiques

Vie et œuvre de Maupassant	*Événements politiques et culturels*
1850 **Naissance de Guy de Maupassant à Fécamp le 5 août.**	**1851** **Coup d'État de Louis Napoléon Bonaparte le 2 décembre.**
1856 Naissance d'Hervé, frère de Guy.	**1852** **Le second Empire est instauré (Napoléon III).**
1860 Séparation des parents de Maupassant.	**1853** Verdi, *La Traviata* ; *Le Trouvère* (opéras).
1863 Jusqu'en 1867, études à l'institution ecclésiastique d'Yvetot de la 6e à la 2e.	**1856** Victor Hugo, *Les Contemplations*.
1868 Interne au lycée de Rouen.	**1857** Flaubert, *Madame Bovary*. Baudelaire, *Les Fleurs du mal*.
1869 Bachelier.	**1859** Darwin, *De l'origine des espèces*.
1870 Mobilisé pour la guerre. Il est profondément patriote.	**1861-1865** Guerre de Sécession avec les États-Unis.
1871 Il entre au ministère de la Marine.	**1863** Manet, *Le Déjeuner sur l'herbe*.
1872 **Parties de canotage sur la Seine.**	**1865** Droit de grève. Pasteur travaille sur l'asepsie. Claude Bernard, *Introduction à la médecine expérimentale*.
1875 Fréquente Mallarmé, Tourgueniev et Zola. Publication de « La Main d'écorché ».	**1867** Marx, *Le Capital*.
1877 Participe au dîner de fondation du naturalisme avec Flaubert et Zola.	**1870** **Guerre entre la France et la Prusse. Napoléon III est fait prisonnier à Sedan. Fin du second Empire. La république est proclamée.**
1878 Il entre au ministère de l'Instruction publique. **Premiers signes de maladie.**	**1871** Commune de Paris, insurrection populaire violemment réprimée.

Repères chronologiques

Vie et œuvre de Maupassant	*Événements politiques et culturels*
1880 *Boule de suif* paraît dans le recueil *Les Soirées de Médan*.	**1875** Constitution de la IIIe République. Bizet, *Carmen*. Jules Ferry rend l'école laïque, gratuite et obligatoire.
1881-1884 Publications de recueils de contes : *La Maison Tellier, Mademoiselle Fifi*. **Publication de plusieurs contes fantastiques : « Un fou ? », « La Chevelure » et du roman *Une vie*. Il s'intéresse à la psychiatrie et suit les cours du professeur Charcot.**	**1880** **Mort de Flaubert.** Lois scolaires de Jules Ferry. **1881** Loi sur la liberté de la presse. **1882** Charcot commence ses cours à la Salpêtrière. **1884** Lois sur les libertés syndicales.
1885-1888 Publication des romans *Bel-Ami* (1885) et *Pierre et Jean* (1888) ; recueils de nouvelles : *Toine*, *Contes du jour et de la nuit* (1885) ; il écrit « Lettre d'un fou » (1885), une première version du « Horla » en 1886, puis une deuxième en 1887, « La Nuit ».	**1885** **Mort de Victor Hugo.** Zola, *Germinal*. **1886** Rimbaud, *Illuminations*. Mallarmé, *Poésies*. **1888-1889** Nouvelle période de crise politique (agitation boulangiste).
1889 **Mort de son frère à l'hôpital psychiatrique.** Publication des contes du recueil *La Main gauche*.	**1889** Exposition universelle à Paris avec la tour Eiffel. **1890** Van Gogh, *Le Champ de blé aux corbeaux*. Degas, *Danseuses bleues*.
1891-1892 La santé de Maupassant se détériore. Maupassant souffre de nombreux troubles physiques et psychiques. Traitements inefficaces. Tentative de suicide en 1892. Il est interné dans la maison de santé du docteur Blanche.	**1892** Jules Verne, *Le Château des Carpathes*. Zola, *La Débâcle*.
1893 **Mort de Maupassant. Inhumation au cimetière du Montparnasse.**	

Fiche d'identité de l'œuvre

La Peur et autres contes fantastiques

Auteur :
Guy de Maupassant, journaliste. Il a entre trente-deux et quarante ans et souffre déjà du mal qui le conduira à la folie.

Genre :
récits fantastiques parus entre 1882 et 1890.

Forme : six contes, réunis dans un recueil autour du thème de la peur.

Structure : un premier narrateur prend en charge un récit encadrant, et un deuxième narrateur assume le récit principal (« Sur l'eau », « La Peur », « La Main », « Apparition »). Les deux dernières histoires sont racontées par un seul narrateur personnage (« Lui ? », « Qui sait ? »).

Principaux personnages : un passionné de canotage, un aventurier traversant déserts et forêts inhospitalières, un vieil Anglais excentrique, un soldat sollicité par un étrange ami, un futur marié, un amateur de meubles.

Sujet :
- **La Peur :** qu'est-ce ? Pour le capitaine d'un navire, c'est la peur du naufrage. Un aventurier remet en question cette définition en racontant deux histoires étranges.
- **Sur l'eau :** un vieux canotier se retrouve seul, la nuit, au milieu du fleuve, sans pouvoir relever l'ancre de sa barque. La peur s'empare de lui.
- **La Main :** un juge d'instruction raconte une histoire terrifiante : une main aurait commis un meurtre abominable.
- **Apparition :** un jeune homme demande à un ami d'enfance de récupérer dans sa chambre des papiers importants.
- **Lui ? :** un homme, en rentrant chez lui, trouve quelqu'un assis à sa place devant le feu, et qui disparaît à son approche.
- **Qui sait ? :** un amateur de meubles et d'objets voit sa maison se vider de son mobilier, sous ses yeux.

Pour ou contre

La Peur et autres contes fantastiques ?

Pour

Daniel MORTIER :

« Il y a le plaisir également qu'on peut ressentir devant toutes les histoires qui non seulement sont bien racontées, mais encore nous sont racontées par un narrateur qui considère à juste titre que les adultes aiment parfois à jouer comme les enfants, à "fais-moi peur". »

Préface au *Horla et autres récits fantastiques de Maupassant*, Pocket, 1990.

Antonia FONYI :

« [...] l'œuvre de Maupassant est d'actualité. Elle a la vertu de mettre l'angoisse à la portée de tous. Davantage, de la transformer en plaisir à la portée de tous. »

Introduction à Maupassant, *Le Horla et autres contes d'angoisse ?* GF Flammarion, 2006.

Contre

Alberto SAVINIO :

« Avez-vous remarqué que les contes de Maupassant, à la ressemblance des voyages en chemin de fer, ne laissent pas derrière eux une impression de plaisir et que des contes de Maupassant aussi on descend avec cette même hâte, avec ce même sentiment de libération que celui avec lequel on sort d'un train. »

Maupassant et l'« Autre », traduit par Michel Arnaud, Gallimard, 1977.

Pour mieux lire l'œuvre

Au temps de Maupassant

Un développement technologique et scientifique fascinant et inquiétant

Une deuxième révolution industrielle marque les années 1850-1890. Les progrès techniques permettent d'élever d'étonnants monuments de verre et de fer comme les pavillons Baltard des Halles à Paris. Le développement de l'électricité a beaucoup impressionné les contemporains de Maupassant. En 1876, Graham Bell invente le téléphone, les appareils photographiques apparaissent dans les années 1880. Pasteur fait des recherches sur le monde microbien. Ces découvertes fascinent et dépassent en même temps l'entendement de ceux qui ne sont pas des scientifiques avertis. Elles ont quelque chose d'extraordinaire : c'est « la fée Électricité », c'est « le Crystal Palace », palais féerique de verre construit à Londres. Les savants eux-mêmes n'hésitent pas, à partir d'observations, à développer des idées quelque peu étonnantes. L'astronome italien Sciaparelli (1835-1910), en observant l'espace, découvre des canaux sur Mars. Il suppose que des êtres intelligents les ont bâtis. Camille Flammarion, dans *La Pluralité des mondes habités* (1862), pense que les habitants de Saturne seraient transparents et ceux de Mars, ailés. Ainsi, la science et les technologies nouvelles ouvrent paradoxalement des espaces à l'imaginaire et au rêve, faisant naître également des angoisses.

Maupassant est sensible à cette ambivalence et il souligne, dans la nouvelle « Le Horla », que des choses imperceptibles pour nos sens limités ont pourtant une existence véritable, comme le courant électrique (ou les microbes). Des phénomènes apparemment invraisemblables et angoissants pourraient ainsi se comprendre, mais nos connaissances sont pour le moment insuffisantes. Pourquoi des meubles ne bougeraient-ils pas tout seuls (« Qui sait ? ») ? Et si un être invisible venait s'installer chez vous (« Lui ? ») ?

La science et la médecine donnent par ailleurs une nouvelle image de l'homme. La théorie de Darwin, traduite en 1862, commence à se répandre. L'être humain n'est plus la créature de Dieu ; de plus, de par son origine animale, il s'inscrit dans l'évolution générale. Mais l'époque s'intéresse particulièrement aux pathologies mentales, à la folie et à ses thérapies. Le professeur Charcot, médecin à l'hospice de la Salpêtrière, vulgarise ses recherches sur l'hystérie et l'hypnose lors de ses leçons du mardi auxquelles Maupassant, ainsi que Freud, assistent. L'écrivain observe en curieux, mais semble attendre peu des médecins. Il voit plutôt la folie du côté du patient dans les contes « Lui ? » et « Qui sait ? ».

Le réalisme et le naturalisme

Réalisme et naturalisme sont deux courants littéraires et artistiques assez proches qui couvrent les œuvres des écrivains et des peintres des années 1840 à 1902 (date de la mort de Zola). Il s'agit d'artistes qui s'efforcent de représenter le réel ou la nature telle qu'elle est, sans la déformer. Le mouvement a fait scandale. Flaubert est considéré comme un écrivain réaliste ainsi que les frères Goncourt et Balzac. Ils ont l'habitude de mener un travail de recherche et de documentation qui donne de la vraisemblance à leurs ouvrages, révélant une observation attentive de la société et des hommes.
Zola impose le terme « naturalisme » en 1880 avec *le Roman expérimental*, texte fondateur du mouvement. L'écrivain naturaliste désire s'appuyer sur des bases scientifiques. Ainsi, dans les vingt romans des Rougon-Macquart publiés entre 1870 et 1883, Zola étudie l'influence de l'hérédité et du milieu social sur les membres d'une même famille.
Flaubert est le maître incontesté de Maupassant. Des relations affectives unissent également les deux hommes qui échangent une correspondance sur plusieurs années. Son influence a été essentielle. L'écrivain évolue aussi dans le cercle de Zola, mais il n'est pas

pour autant en accord avec toutes ses idées. Maupassant refuse toute réduction à un mouvement quel qu'il soit, désirant garder sa liberté d'écrivain. Cependant, il partage avec Zola et Flaubert le désir de rendre la réalité. Les petits milieux comme celui du garde forestier dans « La Peur », par exemple, sont peints sans concession. Mais la réalité est le plus souvent perçue à travers la subjectivité des personnages : une terreur superstitieuse les saisit dans « La Peur », la folie se fait jour chez un homme sain dans « Lui ? » et « Qui sait ? ». C'est dans cette réalité subjective que se glisse le fantastique à travers les récits de Maupassant.

Le genre : le conte, la nouvelle

La Peur et autres contes fantastiques : tel est le titre de ce livre où ont été rassemblés des récits extraits de divers recueils de Maupassant. L'auteur écrit-il des contes ou des nouvelles ? Le mot « nouvelle » est, pour un lecteur d'aujourd'hui, davantage ancré dans le réel et le quotidien, voire l'actualité. Maupassant écrit d'ailleurs des chroniques dans les journaux à travers lesquelles il s'exprime sur les événements récents. Certaines de ses histoires sont tirées de faits-divers, comme « Apparition ». La plupart de ses textes, enfin, sont parus pour la première fois dans les journaux : « La Peur » dans *Le Gaulois*, « Lui ? » dans *Gil Blas*. Le terme de « conte » évoque plutôt implicitement un récit merveilleux et invraisemblable. Il garde aussi une connotation orale qui paraît assez juste pour Maupassant. Ses récits sont en effet souvent pris en charge par un narrateur qui raconte les événements à d'autres personnages, comme dans « Sur l'eau ». Ces nuances sont intéressantes, mais, au XIXe siècle, les deux termes sont équivalents et employés indifféremment.
Quoi qu'il en soit, le conte et la nouvelle ont plusieurs points communs. Il s'agit de courts récits, mettant en scène un petit nombre de personnages évoluant dans un cadre spatio-temporel restreint et qui développent une action simple. Le fil narratif est serré et efficace.

« Sur l'eau », par exemple, se déroule en quelques heures (une nuit), sur la rivière (un point d'ancrage sur la Seine), avec un seul personnage (un vieux canotier).

L'essentiel

Maupassant évolue dans le cercle des écrivains réalistes et naturalistes. Il partage avec Flaubert et Zola le désir de rendre la réalité. Mais, à travers la subjectivité de ses personnages, le réel apparaît parfois étrange et incompréhensible, souvent inquiétant. La brièveté de la nouvelle met l'accent sur l'irrationnel qui transparaît dans un monde régi par la raison.

L'œuvre aujourd'hui

Les angoisses et les délices de la peur

Étrangement, et depuis l'enfance, tout le monde aime éprouver la peur : peur du loup dans les contes de fées, de l'ogre, des fantômes sous le lit. Les contes du recueil sont réunis par ce thème central. La peur est le sujet des histoires, décrite avec précision dans ses symptômes, objet de débat dans sa définition même, moteur de l'action dans l'attente d'une résolution qui ne vient pas toujours. Ambivalente, la peur est un sentiment terriblement redouté et passionnément recherché. Les personnages des récits de Maupassant la subissent parfois avec une certaine délectation. Quant au lecteur, s'il a acheté ce livre, c'est vraisemblablement parce qu'il aime se faire peur.

La peur est décrite dans les contes avec une grande précision dans ses manifestations. Elle apparaît d'abord comme un phénomène psychologique qui accompagne « la prise de conscience d'un danger réel ou imaginé » (le dictionnaire Robert). Elle est donc une attente de quelque chose qui pourrait se produire : « Je demeurais immobile,

Pour mieux lire l'œuvre

les yeux ouverts, l'oreille tendue et attendant. Quoi ? Je n'en savais rien, mais ce devait être terrible » (« Sur l'eau », l. 146-148). Le trouble est tel que ceux qui le subissent en perdent leurs repères, pensant qu'ils sont devenus fous (« Lui ? », « Qui sait ? »). La peur se manifeste aussi par des symptômes physiques précisément décrits par les narrateurs : « J'avais les tempes serrées, mon cœur battait à m'étouffer » (« Sur l'eau ») ; « malgré moi, un grand frisson me courait entre les épaules » (« La Peur ») ; « Je sentais se glisser dans mes os la peur », « une sensation de froid atroce » (« Apparition »).
Qu'est-ce qui provoque la peur ? Dans le conte intitulé « La Peur », c'est un sujet de débat. Le commandant de bord d'un navire dit avoir subi la peur lors de l'échouage de son bateau en pleine mer. Un vieux baroudeur s'oppose à lui et affirme : « Un homme énergique n'a jamais peur en face du danger pressant. » Le héros de « Apparition » le confirme : « Devant les dangers véritables, je n'ai jamais reculé [...] ». La terreur est provoquée plutôt par « certaines circonstances anormales » (« La Peur ») : une ancre reste accrochée au fond du fleuve, un homme meurt au moment où un battement de tambour se fait entendre dans le désert, les choses semblent subitement douées de vie.
Pourquoi raconter des histoires à faire peur ? La peur est un sentiment qu'on aime parfois éprouver. Les femmes qui écoutent le juge d'instruction dans « La Main » assaillent le narrateur : « Elles frissonnaient, vibraient, crispées par leur peur curieuse, par l'avide et insatiable besoin d'épouvante qui hante leur âme, les torture comme une faim ». Ces femmes sont à l'image du lecteur qui se délecte des récits de Maupassant. Raconter des histoires à faire peur permet aussi d'évacuer ses terreurs, comme lors d'une psychothérapie. Le narrateur de « Apparition » attend cinquante-six ans avant de parler de son aventure, qui l'a pourtant obsédé toute sa vie. Le lecteur, dans une sorte de catharsis, évacue par la lecture ses propres angoisses et, en particulier, celle de la mort.

La folie

Les personnages de « Lui ? » et de « Qui sait ? » sombrent dans la folie. Le premier, se dédoublant dans un délire schizophrénique, voit un homme assis dans son fauteuil devant la cheminée. Le deuxième préfère se réfugier dans une maison de santé, et rester enfermé et solitaire dans sa chambre. Le marquis de la Tour-Samuel (« Apparition ») passe sa vie sous l'emprise d'une obsession. La folie est présente dans de nombreux récits de Maupassant. Il la décrit presque toujours du point de vue des malades qui sont les narrateurs des histoires. Le lecteur se sent alors impliqué, comme s'il était dans la tête d'un fou. Celui-ci lui apparaît pourtant doué d'une grande lucidité, capable d'argumenter aussi bien qu'un homme raisonnable. Cette façon de montrer la folie est déstabilisante, car elle indique que la frontière entre le pathologique et le normal n'a rien de stable. Le personnage de « Sur l'eau », le garde forestier de « La Peur », l'Anglais de « La Main » sont tous à la limite de la folie. Maupassant est attiré par ces personnages de déments qui l'angoissent et le fascinent à la fois. Dès l'époque où il écrit ses contes, il est lui-même concerné par la folie. Sa mère décède dans une crise de démence, son frère meurt fou en 1889 et il est atteint de certains symptômes inquiétants. L'écriture lui permet d'exorciser ses peurs. Le lecteur pénètre malgré lui dans un monde où les limites entre réel et imaginaire, folie et normalité sont floues.

L'essentiel

La lecture de Maupassant fait entrer dans un univers de peur et de folie. La peur, décrite avec précision, n'est pas la peur du danger mais celle de l'inconnu. La folie guette aussi les personnages. Elle est inquiétante parce qu'elle est perçue de l'intérieur. Les récits de peur et de folie permettent à l'écrivain et au lecteur d'évacuer leurs angoisses tout en goûtant un plaisir certain.

Apparition.
Illustration d'Aristide Caillaud, 1949.

La Peur
et autres contes fantastiques

Guy de
Maupassant

Contes publiés
pour la première fois
dans la presse de 1876 à 1890

La Peur

À J.-K. Huysmans.[1]

On remonta sur le pont après dîner. Devant nous, la Méditerranée n'avait pas un frisson sur toute sa surface qu'une grande lune calme moirait[2]. Le vaste bateau glissait, jetant sur le ciel, qui semblait ensemencé d'étoiles, un gros serpent de fumée noire ; et, derrière nous, l'eau toute blanche, agitée par le passage rapide du lourd bâtiment, battue par l'hélice, moussait, semblait se tordre, remuait tant de clartés qu'on eût dit de la lumière de lune bouillonnant.

Nous étions là, six ou huit, silencieux, admirant, l'œil tourné vers l'Afrique lointaine où nous allions. Le commandant, qui fumait un cigare au milieu de nous, reprit soudain la conversation du dîner.

– Oui, j'ai eu peur ce jour-là. Mon navire est resté six heures avec ce rocher dans le ventre, battu par la mer. Heureusement que nous avons été recueillis, vers le soir, par un charbonnier[3] anglais qui nous aperçut.

Alors un grand homme à figure brûlée[4], à l'aspect grave, un de ces hommes qu'on sent avoir traversé de longs pays inconnus, au milieu de dangers incessants, et dont l'œil tranquille semble garder, dans sa profondeur, quelque chose des paysages étranges qu'il a vus ; un de ces hommes qu'on devine trempés[5] dans le courage, parla pour la première fois :

– Vous dites, commandant, que vous avez eu peur ; je n'en crois rien. Vous vous trompez sur le mot et sur la sensation que vous avez éprouvée. Un homme énergique n'a jamais peur en face du danger pressant. Il est ému, agité, anxieux ; mais la peur, c'est autre chose.

---

1. **J.-K. Huysmans :** écrivain français (1848-1907) d'inspiration similaire à celle de Maupassant.
2. **Moirait :** offrait des reflets chatoyants, c'est-à-dire changeant sous l'effet de la lumière.
3. **Charbonnier :** cargo destiné au transport du charbon.
4. **Brûlée :** bronzée.
5. **Trempés :** endurcis.

25 Le commandant reprit en riant :

– Fichtre ![1] je vous réponds bien que j'ai eu peur, moi.

Alors l'homme au teint bronzé prononça d'une voix lente :

– Permettez-moi de m'expliquer ! La peur (et les hommes les plus hardis[2] peuvent avoir peur), c'est quelque chose d'effroyable, une 30 sensation atroce, comme une décomposition de l'âme, un spasme[3] affreux de la pensée et du cœur, dont le souvenir seul donne des frissons d'angoisse. Mais cela n'a lieu, quand on est brave, ni devant une attaque, ni devant la mort inévitable, ni devant toutes les formes connues du péril : cela a lieu dans certaines circons- 35 tances anormales, sous certaines influences mystérieuses en face de risques vagues. La vraie peur, c'est quelque chose comme une réminiscence[4] des terreurs fantastiques d'autrefois. Un homme qui croit aux revenants, et qui s'imagine apercevoir un spectre dans la nuit, doit éprouver la peur en toute son épouvantable horreur.

40 Moi, j'ai deviné la peur en plein jour, il y a dix ans environ. Je l'ai ressentie, l'hiver dernier, par une nuit de décembre.

Et, pourtant, j'ai traversé bien des hasards, bien des aventures qui semblaient mortelles. Je me suis battu souvent. J'ai été laissé pour mort par des voleurs. J'ai été condamné, comme insurgé[5], à être 45 pendu, en Amérique, et jeté à la mer du pont d'un bâtiment[6] sur les côtes de Chine. Chaque fois je me suis cru perdu, j'en ai pris immédiatement mon parti, sans attendrissement et même sans regrets.

Mais la peur, ce n'est pas cela.

Je l'ai pressentie en Afrique. Et pourtant elle est fille du Nord ; 50 le soleil la dissipe comme un brouillard. Remarquez bien ceci, Messieurs. Chez les Orientaux, la vie ne compte pour rien ; on est résigné[7] tout de suite ; les nuits sont claires et vides des inquiétudes

---

1. **Fichtre ! :** interjection familière qui exprime la contrariété.
2. **Hardis :** audacieux.
3. **Spasme :** contraction brusque, violente et involontaire d'un muscle.
4. **Réminiscence :** retour à l'esprit d'une sensation disparue du souvenir mais marquée dans l'inconscient.
5. **Insurgé :** révolté, rebelle.
6. **Bâtiment :** navire.
7. **Résigné :** qui a renoncé à se battre.

sombres qui hantent les cerveaux dans les pays froids. En Orient, on peut connaître la panique, on ignore la peur.

55 Eh bien ! voici ce qui m'est arrivé sur cette terre d'Afrique :

Je traversais les grandes dunes au sud de Ouargla[1]. C'est là un des plus étranges pays du monde. Vous connaissez le sable uni, le sable droit des interminables plages de l'Océan. Eh bien ! figurez-vous l'Océan lui-même devenu sable au milieu d'un ouragan ; 60 imaginez une tempête silencieuse de vagues immobiles en poussière jaune. Elles sont hautes comme des montagnes, ces vagues inégales, différentes, soulevées tout à fait comme des flots déchaînés, mais plus grandes encore, et striées comme de la moire[2]. Sur cette mer furieuse, muette et sans mouvement, le dévorant soleil 65 du sud verse sa flamme implacable et directe. Il faut gravir ces lames[3] de cendre d'or, redescendre, gravir encore, gravir sans cesse, sans repos et sans ombre. Les chevaux râlent[4], enfoncent jusqu'aux genoux, et glissent en dévalant l'autre versant des surprenantes collines.

70 Nous étions deux amis suivis de huit spahis[5] et de quatre chameaux avec leurs chameliers. Nous ne parlions plus, accablés de chaleur, de fatigue, et desséchés de soif comme ce désert ardent[6]. Soudain un de nos hommes poussa une sorte de cri ; tous s'arrêtèrent ; et nous demeurâmes immobiles, surpris par un inexpli- 75 cable phénomène connu des voyageurs en ces contrées perdues.

Quelque part, près de nous, dans une direction indéterminée, un tambour battait, le mystérieux tambour des dunes ; il battait distinctement, tantôt plus vibrant, tantôt affaibli, arrêtant, puis reprenant son roulement fantastique.

80 Les Arabes, épouvantés, se regardaient ; et l'un dit, en sa langue : « La mort est sur nous. » Et voilà que tout à coup mon compagnon,

---

1. **Ouargla :** oasis du Sahara algérien.
2. **Moire :** tissu spécialement apprêté pour donner un aspect changeant et chatoyant.
3. **Lames :** vagues.
4. **Râlent :** respirent avec un bruit rauque.
5. **Spahis :** soldats des corps de cavalerie indigène organisés autrefois par l'armée française en Afrique.
6. **Ardent :** brûlant.

mon ami, presque mon frère, tomba de cheval, la tête en avant, foudroyé par une insolation[1].

Et pendant deux heures, pendant que j'essayais en vain de le sauver, toujours ce tambour insaisissable m'emplissait l'oreille de son bruit monotone, intermittent et incompréhensible ; et je sentais se glisser dans mes os la peur, la vraie peur, la hideuse[2] peur, en face de ce cadavre aimé, dans ce trou incendié par le soleil entre quatre monts de sable, tandis que l'écho inconnu nous jetait, à deux cents lieues de tout village français, le battement rapide du tambour.

Ce jour-là, je compris ce que c'était que d'avoir peur ; je l'ai su mieux encore une autre fois...

Le commandant interrompit le conteur :

– Pardon, monsieur, mais ce tambour ? Qu'était-ce ?

Le voyageur répondit :

– Je n'en sais rien. Personne ne sait. Les officiers, surpris souvent par ce bruit singulier, l'attribuent généralement à l'écho grossi, multiplié, démesurément enflé par les vallonnements des dunes, d'une grêle de grains de sable emportés dans le vent et heurtant une touffe d'herbes sèches ; car on a toujours remarqué que le phénomène se produit dans le voisinage de petites plantes brûlées par le soleil, et dures comme du parchemin.

Ce tambour ne serait donc qu'une sorte de mirage du son. Voilà tout. Mais je n'appris cela que plus tard.

J'arrive à ma seconde émotion.

C'était l'hiver dernier, dans une forêt du nord-est de la France. La nuit vint deux heures plus tôt, tant le ciel était sombre. J'avais pour guide un paysan qui marchait à mon côté, par un tout petit chemin, sous une voûte de sapins dont le vent déchaîné tirait des hurlements. Entre les cimes, je voyais courir des nuages en déroute, des nuages éperdus qui semblaient fuir devant une épouvante. Parfois, sous une immense rafale, toute la forêt s'inclinait dans le même sens avec un gémissement de souffrance ; et le froid m'envahissait, malgré mon pas rapide et mon lourd vêtement.

---

1. **Insolation :** coup de chaleur dû à une trop longue exposition au soleil.
2. **Hideuse :** horrible.

Nous devions souper et coucher chez un garde forestier dont la maison n'était plus éloignée de nous. J'allais là pour chasser.

Mon guide, parfois, levait les yeux et murmurait : « Triste temps ! » Puis il me parla des gens chez qui nous arrivions. Le père
120 avait tué un braconnier deux ans auparavant, et, depuis ce temps, il semblait sombre, comme hanté d'un souvenir. Ses deux fils, mariés, vivaient avec lui.

Les ténèbres étaient profondes. Je ne voyais rien devant moi, ni autour de moi, et toute la branchure[1] des arbres entrechoqués
125 emplissait la nuit d'une rumeur incessante. Enfin, j'aperçus une lumière, et bientôt mon compagnon heurtait[2] une porte. Des cris aigus de femmes nous répondirent. Puis, une voix d'homme, une voix étranglée, demanda : « Qui va là ? » Mon guide se nomma. Nous entrâmes. Ce fut un inoubliable tableau.

130 Un vieil homme à cheveux blancs, à l'œil fou, le fusil chargé dans la main, nous attendait debout au milieu de la cuisine, tandis que deux grands gaillards, armés de haches, gardaient la porte. Je distinguai dans les coins sombres deux femmes à genoux, le visage caché contre le mur.

135 On s'expliqua. Le vieux remit son arme contre le mur et ordonna de préparer ma chambre ; puis, comme les femmes ne bougeaient point, il me dit brusquement :

– Voyez-vous, monsieur, j'ai tué un homme, voilà deux ans, cette nuit. L'autre année, il est revenu m'appeler. Je l'attends encore ce soir.

140 Puis il ajouta d'un ton qui me fit sourire :

– Aussi, nous ne sommes pas tranquilles.

Je le rassurai comme je pus, heureux d'être venu justement ce soir-là, et d'assister au spectacle de cette terreur superstitieuse.

Je racontai des histoires, et je parvins à calmer à peu près tout le
145 monde.

Près du foyer, un vieux chien, presque aveugle et moustachu, un de ces chiens qui ressemblent à des gens qu'on connaît, dormait le nez dans ses pattes.

---

1. **Branchure :** branchage.
2. **Heurtait :** frappait à.

Au-dehors, la tempête acharnée battait la petite maison, et, par 150 un étroit carreau, une sorte de judas[1] placé près de la porte, je voyais soudain tout un fouillis d'arbres bousculés par le vent à la lueur de grands éclairs.

Malgré mes efforts, je sentais bien qu'une terreur profonde tenait ces gens, et chaque fois que je cessais de parler, toutes les oreilles 155 écoutaient au loin. Las d'assister à ces craintes imbéciles, j'allais demander à me coucher, quand le vieux garde tout à coup fit un bond de sa chaise, saisit de nouveau son fusil, en bégayant d'une voix égarée : « Le voilà ! le voilà ! Je l'entends ! » Les deux femmes retombèrent à genoux dans leurs coins en se cachant le visage ; et 160 les fils reprirent leurs haches. J'allais tenter encore de les apaiser, quand le chien endormi s'éveilla brusquement et, levant sa tête, tendant le cou, regardant vers le feu de son œil presque éteint, il poussa un de ces lugubres hurlements qui font tressaillir les voyageurs, le soir, dans la campagne. Tous les yeux se portèrent sur lui, 165 il restait maintenant immobile, dressé sur ses pattes comme hanté d'une vision, et il se remit à hurler vers quelque chose d'invisible, d'inconnu, d'affreux sans doute, car tout son poil se hérissait. Le garde, livide, cria : « Il le sent ! il le sent ! il était là quand je l'ai tué. » Et les femmes égarées se mirent, toutes les deux, à hurler 170 avec le chien.

Malgré moi, un grand frisson me courut entre les épaules. Cette vision de l'animal dans ce lieu, à cette heure, au milieu de ces gens éperdus, était effrayante à voir.

Alors, pendant une heure, le chien hurla sans bouger ; il hurla 175 comme dans l'angoisse d'un rêve ; et la peur, l'épouvantable peur entrait en moi ; la peur de quoi ? Le sais-je ? C'était la peur, voilà tout.

Nous restions immobiles, livides, dans l'attente d'un événement affreux, l'oreille tendue, le cœur battant, bouleversés au moindre bruit. Et le chien se mit à tourner autour de la pièce, en sentant les 180 murs et gémissant toujours. Cette bête nous rendait fous ! Alors, le paysan qui m'avait amené, se jeta sur elle, dans une sorte de paroxysme[2] de terreur furieuse, et, ouvrant une porte donnant sur une petite cour, jeta l'animal dehors.

---

1. **Judas :** petite ouverture pratiquée dans un mur ou une porte pour épier sans être vu.
2. **Paroxysme :** point culminant.

Il se tut aussitôt ; et nous restâmes plongés dans un silence
185 plus terrifiant encore. Et soudain tous ensemble, nous eûmes une sorte de sursaut : un être glissait contre le mur du dehors vers la forêt ; puis il passa contre la porte, qu'il sembla tâter, d'une main hésitante ; puis on n'entendit plus rien pendant deux minutes qui firent de nous des insensés[1] ; puis il revint, frôlant toujours la
190 muraille ; et il gratta légèrement, comme ferait un enfant avec son ongle ; puis soudain une tête apparut contre la vitre du judas, une tête blanche avec des yeux lumineux comme ceux des fauves. Et un son sortit de sa bouche, un son indistinct, un murmure plaintif.

Alors un bruit formidable éclata dans la cuisine. Le vieux garde
195 avait tiré. Et aussitôt les fils se précipitèrent, bouchèrent le judas en dressant la grande table qu'ils assujettirent[2] avec le buffet.

Et je vous jure qu'au fracas du coup de fusil que je n'attendais point, j'eus une telle angoisse du cœur, de l'âme et du corps, que je me sentis défaillir[3], prêt à mourir de peur.

200 Nous restâmes là jusqu'à l'aurore, incapables de bouger, de dire un mot, crispés dans un affolement indicible.

On n'osa débarricader la sortie qu'en apercevant, par la fente d'un auvent[4], un mince rayon de jour.

Au pied du mur, contre la porte, le vieux chien gisait, la gueule
205 brisée d'une balle.

Il était sorti de la cour en creusant un trou sous une palissade.

L'homme au visage brun se tut ; puis il ajouta :

– Cette nuit-là pourtant, je ne courus aucun danger ; mais j'aimerais mieux recommencer toutes les heures où j'ai affronté
210 les plus terribles périls, que la seule minute du coup de fusil sur la tête barbue du judas.

Conte paru le 23 octobre 1882 dans le journal *Le Gaulois.*

---

1. **Insensés :** fous.
2. **Assujettirent :** calèrent, coincèrent.
3. **Défaillir :** perdre connaissance.
4. **Auvent :** volet.

Clefs d'analyse

Action et personnages

1. Où se déroulent les quatre histoires qui sont racontées dans ce conte ? N'oubliez pas celle qui est rapidement évoquée par le capitaine (l. 11-14) Quel est le point commun entre tous ces lieux ?
2. Quelles sont les deux raisons qui peuvent expliquer la mort de l'ami du narrateur de l'histoire (l. 56-83) ? Qui défend chaque hypothèse ?
3. Pourquoi le narrateur peut-il dire : « Ce jour-là, je compris ce que c'était que d'avoir peur » (l. 92) ?
4. Qui interrompt le narrateur entre les deux récits de l'homme « à figure brûlée » ? Quel est l'intérêt de cette interruption ?
5. Comparez les circonstances (moment et lieu) des deux histoires qu'il raconte ? Quelle remarque pouvez-vous faire ?
6. Comment s'exprime la peur du garde forestier et de sa famille (l. 126-170). À quoi est-elle due ?
7. Comment réagit tout d'abord le narrateur ? Justifiez votre réponse en citant le texte. Quand commence-t-il à avoir peur ? Relevez les expressions qui indiquent qu'il est épouvanté.
8. Pourquoi peut-on parler d'une nouvelle à chute ?

Langue

9. L'homme « à figure brûlée » s'adresse à un groupe dont fait partie le narrateur. Quels procédés indiquent qu'il s'agit d'un discours adressé à un public (l. 49-69) ?
10. Relevez la métaphore filée (l. 58-69). Quel est le comparant, le comparé, le point de comparaison ? Pourquoi le narrateur emploie-t-il cette métaphore ?
11. Quel est le rôle de la répétition (l. 76-79) ?
12. Par quels procédés s'exprime la peur des personnages dans leurs paroles (l. 158 et 170) ?

Genre ou thèmes

13. Qui est le premier narrateur de l'histoire ? Par quels pronoms est-il désigné ? Est-il interne ou externe ? Que sait-on de lui ?

14. À quel moment un deuxième narrateur intervient-il longuement ? Comment est-il désigné et caractérisé par le premier narrateur ?
15. Pourquoi le deuxième narrateur intervient-il ? Quel est le sujet du débat ? Justifiez votre réponse.
16. Pourquoi raconte-t-il deux histoires pour défendre son idée ?
17. Pourquoi, selon vous, le premier narrateur n'ajoute-t-il aucune réflexion à la fin du conte ?
18. Quel est l'intérêt de la construction du conte avec un récit dans le récit ?

Écriture

19. Rédigez une courte nouvelle avec un récit dans le récit. Le deuxième narrateur prend la parole pour contredire le premier narrateur et raconter une histoire qui justifie sa prise de position. Vous imaginerez le thème du débat.

Pour aller plus loin

20. Lisez les nouvelles de Barbey d'Aurevilly « Le Rideau cramoisi » et « Le Bonheur dans le crime » ainsi que le conte de Maupassant « La Chevelure ». Tous ces textes présentent une structure de récits enchâssés. Justifiez l'intérêt de cette construction pour chacun d'eux. Quel est le récit le plus proche de « La Peur » ? Pourquoi ?

✻ À retenir

La structure du conte est celle du récit encadrant et du récit encadré. Un premier narrateur (« on », « nous »), situé dans un lieu (le pont d'un navire) et une époque donnés, prend la parole dans le récit encadrant. Le récit encadré est pris en charge par un deuxième narrateur (l'homme « à figure brûlée »), dans un autre temps et un autre espace (le désert, la forêt du nord-est de la France).

Sur l'eau

J'avais loué, l'été dernier, une petite maison de campagne au bord de la Seine, à plusieurs lieues[1] de Paris, et j'allais y coucher tous les soirs. Je fis, au bout de quelques jours, la connaissance d'un de mes voisins, un homme de trente à quarante ans, qui était
5 bien le type[2] le plus curieux que j'eusse jamais vu. C'était un vieux canotier, mais un canotier[3] enragé[4], toujours près de l'eau, toujours sur l'eau, toujours dans l'eau. Il devait être né dans un canot, et il mourra bien certainement dans le canotage final.

Un soir que nous nous promenions au bord de la Seine, je lui
10 demandai de me raconter quelques anecdotes de sa vie nautique. Voilà immédiatement mon bonhomme qui s'anime, se transfigure, devient éloquent[5], presque poète. Il avait dans le cœur une grande passion, une passion dévorante, irrésistible : la rivière.

« Ah ! me dit-il, combien j'ai de souvenirs sur cette rivière que
15 vous voyez couler là près de nous ! Vous autres, habitants des rues, vous ne savez pas ce qu'est la rivière. Mais écoutez un pêcheur prononcer ce mot. Pour lui, c'est la chose mystérieuse, profonde, inconnue, le pays des mirages[6] et des fantasmagories[7], où l'on voit, la nuit, des choses qui ne sont pas, où l'on entend des bruits que
20 l'on ne connaît point, où l'on tremble sans savoir pourquoi, comme en traversant un cimetière : et c'est en effet le plus sinistre des cimetières, celui où l'on n'a point de tombeau.

La terre est bornée pour le pêcheur, et dans l'ombre, quand il n'y a pas de lune, la rivière est illimitée. Un marin n'éprouve point
25 la même chose pour la mer. Elle est souvent dure et méchante c'est vrai, mais elle crie, elle hurle, elle est loyale, la grande mer ; tandis que la rivière est silencieuse et perfide. Elle ne gronde pas,

---

1. **Lieues :** une lieue est une mesure de distance d'environ quatre kilomètres.
2. **Type :** genre d'homme.
3. **Canotier :** personne qui s'adonne au canotage (promenade en barque).
4. **Enragé :** passionné.
5. **Devient éloquent :** s'exprime avec facilité, persuasion.
6. **Mirages :** illusions, apparence séduisante et trompeuse.
7. **Fantasmagories :** apparitions surnaturelles et fantastiques.

elle coule toujours sans bruit, et ce mouvement éternel de l'eau qui coule est plus effrayant pour moi que les hautes vagues de 30 l'Océan.

Des rêveurs prétendent que la mer cache dans son sein d'immenses pays bleuâtres, où les noyés roulent parmi les grands poissons, au milieu d'étranges forêts et dans des grottes de cristal. La rivière n'a que des profondeurs noires où l'on pourrit dans la vase. Elle est 35 belle pourtant quand elle brille au soleil levant et qu'elle clapote doucement entre ses berges couvertes de roseaux qui murmurent.

Le poète a dit en parlant de l'Océan :

Ô flots, que vous savez de lugubres histoires !
Flots profonds, redoutés des mères à genoux,
40 *Vous vous les racontez en montant les marées*
Et c'est ce qui vous fait ces voix désespérées
Que vous avez, le soir, quand vous venez vers nous[1].

Eh bien, je crois que les histoires chuchotées par les roseaux minces avec leurs petites voix si douces doivent être encore plus 45 sinistres que les drames lugubres[2] racontés par les hurlements des vagues.

Mais puisque vous me demandez quelques-uns de mes souvenirs, je vais vous dire une singulière aventure qui m'est arrivée ici, il y a une dizaine d'années.

50 J'habitais, comme aujourd'hui, la maison de la mère Lafon, et un de mes meilleurs camarades, Louis Bernet, qui a maintenant renoncé au canotage, à ses pompes[3] et à son débraillé[4] pour entrer au Conseil d'État[5], était installé au village de C..., deux lieues plus bas. Nous dînions tous les jours ensemble, tantôt chez lui, tantôt 55 chez moi.

---

1. ***Ô flots [...] vers nous :*** citation de Victor Hugo extraite du poème « Oceano nox » (nuit océane).
2. **Lugubres :** funèbres, sinistres.
3. **Ses pompes :** les cérémonials fastueux.
4. **Son débraillé :** son côté négligé et sans retenue.
5. **Conseil d'État :** tribunal administratif, l'échelon suprême de la juridiction administrative, qui juge les litiges entre les particuliers et l'Administration.

Un soir, comme je revenais tout seul et assez fatigué, traînant péniblement mon gros bateau, un *océan* de douze pieds[1], dont je me servais toujours la nuit, je m'arrêtai quelques secondes pour reprendre haleine auprès de la pointe des roseaux, là-bas, deux
60 cents mètres environ avant le pont du chemin de fer. Il faisait un temps magnifique ; la lune resplendissait, le fleuve brillait, l'air était calme et doux. Cette tranquillité me tenta ; je me dis qu'il ferait bien bon fumer une pipe en cet endroit. L'action suivit la pensée ; je saisis mon ancre et la jetai dans la rivière.

65 Le canot, qui redescendait avec le courant, fila sa chaîne[2] jusqu'au bout, puis s'arrêta ; et je m'assis à l'arrière sur ma peau de mouton, aussi commodément qu'il me fut possible. On n'entendait rien, rien : parfois seulement, je croyais saisir un petit clapotement presque insensible de l'eau contre la rive, et j'apercevais des groupes
70 de roseaux plus élevés qui prenaient des figures surprenantes et semblaient par moments s'agiter.

Le fleuve était parfaitement tranquille, mais je me sentis ému par le silence extraordinaire qui m'entourait. Toutes les bêtes, grenouilles et crapauds, ces chanteurs nocturnes des marécages, se
75 taisaient. Soudain, à ma droite, contre moi, une grenouille coassa. Je tressaillis : elle se tut ; je n'entendis plus rien, et je résolus de fumer un peu pour me distraire. Cependant, quoique je fusse un culotteur de pipes[3] renommé, je ne pus pas ; dès la seconde bouffée, le cœur me tourna et je cessai. Je me mis à chantonner ; le son
80 de ma voix m'était pénible ; alors, je m'étendis au fond du bateau et je regardai le ciel. Pendant quelque temps, je demeurai tranquille, mais bientôt les légers mouvements de la barque m'inquiétèrent. Il me sembla qu'elle faisait des embardées[4] gigantesques, touchant tour à tour les deux berges du fleuve ; puis je crus qu'un
85 être ou qu'une force invisible l'attirait doucement au fond de l'eau et la soulevait ensuite pour la laisser retomber. J'étais ballotté[5]

---

1. **Un océan de douze pieds :** un bateau de quatre mètres.
2. **Fila sa chaîne :** déroula son câble.
3. **Un culotteur de pipes :** un fumeur de pipe ; culotter une pipe signifie en noircir le fourneau à force de la fumer.
4. **Embardées :** brusques changements de direction d'un bateau.
5. **Ballotté :** secoué.

comme au milieu d'une tempête ; j'entendis des bruits autour de moi ; je me dressai d'un bond : l'eau brillait, tout était calme.

Je compris que j'avais les nerfs un peu ébranlés et je résolus de 90 m'en aller. Je tirai sur ma chaîne ; le canot se mit en mouvement, puis je sentis une résistance, je tirai plus fort, l'ancre ne vint pas ; elle avait accroché quelque chose au fond de l'eau et je ne pouvais la soulever ; je recommençai à tirer, mais inutilement. Alors, avec mes avirons, je fis tourner mon bateau et je le portai en amont 95 pour changer la position de l'ancre. Ce fut en vain, elle tenait toujours ; je fus pris de colère et je secouai la chaîne rageusement. Rien ne remua. Je m'assis découragé et je me mis à réfléchir sur ma position. Je ne pouvais songer à casser cette chaîne ni à la séparer de l'embarcation, car elle était énorme et rivée à l'avant dans un 100 morceau de bois plus gros que mon bras ; mais comme le temps demeurait fort beau, je pensai que je ne tarderais point, sans doute, à rencontrer quelque pêcheur qui viendrait à mon secours. Ma mésaventure m'avait calmé ; je m'assis et je pus enfin fumer ma pipe. Je possédais une bouteille de rhum, j'en bus deux ou trois 105 verres, et ma situation me fit rire. Il faisait très chaud, de sorte qu'à la rigueur je pouvais, sans grand mal, passer la nuit à la belle étoile.

Soudain, un petit coup sonna contre mon bordage[1]. Je fis un soubresaut, et une sueur froide me glaça des pieds à la tête. Ce bruit venait sans doute de quelque bout de bois entraîné par le courant, 110 mais cela avait suffi et je me sentis envahi de nouveau par une étrange agitation nerveuse. Je saisis ma chaîne et je me raidis dans un effort désespéré. L'ancre tint bon. Je me rassis épuisé.

Cependant, la rivière s'était peu à peu couverte d'un brouillard blanc très épais qui rampait sur l'eau fort bas, de sorte que, en 115 me dressant debout, je ne voyais plus le fleuve, ni mes pieds, ni mon bateau, mais j'apercevais seulement les pointes des roseaux, puis, plus loin, la plaine toute pâle de la lumière de la lune, avec de grandes taches noires qui montaient dans le ciel, formées par des groupes de peupliers d'Italie. J'étais comme enseveli jusqu'à 120 la ceinture dans une nappe de coton d'une blancheur singulière, et il me venait des imaginations fantastiques. Je me figurais qu'on

---

1. **Bordage :** ensemble des planches ou des tôles recouvrant la charpente d'un navire et qui constituent le revêtement étanche de la coque (synonyme : bordé).

essayait de monter dans ma barque que je ne pouvais plus distinguer, et que la rivière, cachée par ce brouillard opaque[1], devait être pleine d'êtres étranges qui nageaient autour de moi. J'éprouvais
125 un malaise horrible, j'avais les tempes serrées, mon cœur battait à m'étouffer ; et, perdant la tête, je pensai à me sauver à la nage ; puis aussitôt cette idée me fit frissonner d'épouvante. Je me vis, perdu, allant à l'aventure dans cette brume épaisse, me débattant au milieu des herbes et des roseaux que je ne pourrais éviter,
130 râlant de peur[2], ne voyant pas la berge, ne retrouvant plus mon bateau, et il me semblait que je me sentirais tiré par les pieds tout au fond de cette eau noire.

En effet, comme il m'eût fallu remonter le courant au moins pendant cinq cents mètres avant de trouver un point libre d'herbes et
135 de joncs où je pusse prendre pied, il y avait pour moi neuf chances sur dix de ne pouvoir me diriger dans ce brouillard et de me noyer, quelque bon nageur que je fusse.

J'essayai de me raisonner. Je me sentais la volonté bien ferme de ne point avoir peur, mais il y avait en moi autre chose que ma
140 volonté, et cette autre chose avait peur. Je me demandai ce que je pouvais redouter ; mon *moi* brave railla mon *moi* poltron, et jamais aussi bien que ce jour-là je ne saisis l'opposition des deux êtres qui sont en nous, l'un voulant, l'autre résistant, et chacun l'emportant tour à tour.

145 Cet effroi bête et inexplicable grandissait toujours et devenait de la terreur. Je demeurais immobile, les yeux ouverts, l'oreille tendue et attendant. Quoi ? Je n'en savais rien, mais ce devait être terrible. Je crois que si un poisson se fût avisé de sauter hors de l'eau, comme cela arrive souvent, il n'en aurait pas fallu davantage pour
150 me faire tomber raide, sans connaissance.

Cependant, par un effort violent, je finis par ressaisir à peu près ma raison qui m'échappait. Je pris de nouveau ma bouteille de rhum et je bus à grands traits. Alors une idée me vint et je me mis à crier de toutes mes forces en me tournant successivement vers
155 les quatre points de l'horizon. Lorsque mon gosier fut absolument paralysé, j'écoutai. – Un chien hurlait, très loin.

---

1. **Opaque :** qui s'oppose au passage de la lumière.
2. **Râlant de peur :** un râle est une respiration rauque comme celle d'un mourant.

Je bus encore et je m'étendis tout de mon long au fond du bateau. Je restai ainsi peut-être une heure, peut-être deux, sans dormir, les yeux ouverts, avec des cauchemars autour de moi. 160 Je n'osais pas me lever et pourtant je le désirais violemment ; je remettais de minute en minute. Je me disais : "Allons, debout !" et j'avais peur de faire un mouvement. À la fin, je me soulevai avec des précautions infinies, comme si ma vie eût dépendu du moindre bruit que j'aurais fait, et je regardai par-dessus le bord.

165 Je fus ébloui par le plus merveilleux, le plus étonnant spectacle qu'il soit possible de voir. C'était une de ces fantasmagories du pays des fées, une de ces visions racontées par les voyageurs qui reviennent de très loin et que nous écoutons sans les croire.

Le brouillard qui, deux heures auparavant, flottait sur l'eau, 170 s'était peu à peu retiré et ramassé sur les rives. Laissant le fleuve absolument libre, il avait formé sur chaque berge une colline ininterrompue, haute de six ou sept mètres, qui brillait sous la lune avec l'éclat superbe des neiges. De sorte qu'on ne voyait rien autre chose que cette rivière lamée de feu[1] entre ces deux montagnes 175 blanches ; et là-haut, sur ma tête, s'étalait, pleine et large, une grande lune illuminante au milieu d'un ciel bleuâtre et laiteux.

Toutes les bêtes de l'eau s'étaient réveillées ; les grenouilles coassaient furieusement, tandis que, d'instant en instant, tantôt à droite, tantôt à gauche, j'entendais cette note courte, monotone 180 et triste, que jette aux étoiles la voix cuivrée[2] des crapauds. Chose étrange, je n'avais plus peur ; j'étais au milieu d'un paysage tellement extraordinaire[3] que les singularités les plus fortes n'eussent pu m'étonner.

Combien de temps cela dura-t-il, je n'en sais rien, car j'avais fini 185 par m'assoupir. Quand je rouvris les yeux, la lune était couchée, le ciel plein de nuages. L'eau clapotait lugubrement, le vent soufflait, il faisait froid, l'obscurité était profonde.

---

1. **Lamée de feu :** qui présente l'aspect d'un lamé, c'est-à-dire un tissu dont la trame comporte des fils de métal précieux. La rivière ressemble à un tissu strié de lames de feu.
2. **Voix cuivrée :** voix qui a un timbre éclatant comme un instrument de cuivre.
3. **Extraordinaire :** ici, qui sort de l'ordinaire.

Je bus ce qui me restait de rhum, puis j'écoutai en grelottant le froissement des roseaux et le bruit sinistre de la rivière. Je cherchai à voir, mais je ne pus distinguer mon bateau, ni mes mains elles-mêmes, que j'approchais de mes yeux.

Peu à peu, cependant, l'épaisseur du noir diminua. Soudain je crus sentir qu'une ombre glissait tout près de moi ; je poussai un cri, une voix répondit ; c'était un pêcheur. Je l'appelai, il s'approcha et je lui racontai ma mésaventure. Il mit alors son bateau bord à bord avec le mien, et tous les deux nous tirâmes sur la chaîne. L'ancre ne remua pas. Le jour venait, sombre, gris, pluvieux, glacial, une de ces journées qui vous apportent des tristesses et des malheurs. J'aperçus une autre barque, nous la hélâmes[1]. L'homme qui la montait unit ses efforts aux nôtres ; alors, peu à peu, l'ancre céda. Elle montait, mais doucement, doucement, et chargée d'un poids considérable. Enfin nous aperçûmes une masse noire, et nous la tirâmes à mon bord :

C'était le cadavre d'une vieille femme qui avait une grosse pierre au cou. »

Texte publié dans *Le Bulletin français* du 10 mars 1876, sous le titre *En canot*, puis dans le recueil *La Maison Tellier*, mai 1881, Éditions Havard. Ci-dessus le texte de la version définitive du recueil, mai 1891, aux Éditions Ollendorff.

1. **Hélâmes :** appelâmes (une embarcation).

Clefs d'analyse

Action et personnages

1. Quel portrait le premier narrateur dresse-t-il du « vieux canotier » (l. 3-13) ?
2. Par quels procédés le deuxième narrateur cherche-t-il à montrer que son histoire est réelle (l. 50-64) ?
3. Pour quelle raison le narrateur décide-t-il de s'arrêter au milieu de la rivière ?
4. Quelles sont les premières manifestations de sa peur ? Qu'est-ce qui la provoque (l. 72-88) ?
5. Le narrateur mentionne la dualité de son caractère : « mon *moi* brave » et « mon *moi* poltron » (l. 138-144). Comment ces deux aspects se développent-ils dans les paragraphes suivants ?
6. Quel geste le narrateur accomplit de manière répétée pour reprendre courage ? Le lecteur peut-il y trouver une explication à son état d'esprit perturbé ?
7. La fin de la nouvelle est-elle attendue ? Justifiez votre réponse.

Langue

8. Relevez dans le troisième paragraphe de la nouvelle un champ lexical qui annonce la suite du récit. Donnez un titre à ce champ lexical et montrez comment l'idée se développe dans le reste du paragraphe.
9. Relevez les verbes qui expriment la pensée, la réflexion (l. 89-106). Quel est leur rôle dans cette partie du récit ?
10. En quoi les temps des verbes « montait » (l. 201) et « aperçûmes » (l. 202) permettent-ils de créer une attente ?
11. Par quels moyens la dernière phrase du texte est-elle mise en valeur ? Pourquoi ?

Genre ou thèmes

12. Comment se développe la comparaison entre la mer et la rivière (l. 23-46) ?

13. Quelle image le narrateur donne-t-il de la rivière (l. 113-132) ? Relevez dans ce passage les termes qui expriment l'idée de mort aussi bien par connotation que par dénotation. Pourquoi peut-on dire que ce passage sert d'annonce ?
14. L'image de la rivière est-elle la même de la ligne 165 à la ligne 183 ? Relevez les mots et les expressions qui développent l'idée de la première phrase : « Je fus ébloui par le plus merveilleux, le plus étonnant spectacle qu'il soit possible de voir. »
15. Montrez que la rivière change de nouveau d'aspect à partir de la ligne 184. Expliquez pourquoi.

Écriture

16. Vous vous retrouvez seul, la nuit, dans un lieu qui vous est familier mais que vous ne reconnaissez plus. Racontez. Vous exprimerez vos sentiments et leur évolution au fur et à mesure que le temps passe.
17. Rédigez deux descriptions d'un même lieu, l'une parfaitement objective, l'autre subjective.

Pour aller plus loin

18. Cherchez des textes sur le thème de l'eau. Vous les classerez selon vos propres critères et vous expliquerez pourquoi vous les avez choisis.
19. Cherchez dans le livre de nouvelles de Maupassant d'autres descriptions subjectives. Qui voit ? Comment le regard du personnage peut-il changer ce qui est décrit ?

* À retenir

Une description objective présente un lieu (un objet, un personnage) de façon neutre, comme dans un guide de voyage. Dans une description subjective, les lieux sont vus à travers le regard du spectateur personnage. Ce qu'il ressent transforme les choses et peut les rendre inquiétantes pour le lecteur.

La Main

On faisait cercle autour de M. Bermutier, juge d'instruction qui donnait son avis sur l'affaire mystérieuse de Saint-Cloud. Depuis un mois, cet inexplicable crime affolait Paris. Personne n'y comprenait rien.

5 M. Bermutier, debout, le dos à la cheminée, parlait, assemblait les preuves, discutait les diverses opinions, mais ne concluait pas.

Plusieurs femmes s'étaient levées pour s'approcher et demeuraient debout, l'œil fixé sur la bouche rasée du magistrat d'où sortaient les paroles graves. Elles frissonnaient, vibraient, crispées par 10 leur peur curieuse, par l'avide et insatiable[1] besoin d'épouvante qui hante leur âme, les torture comme une faim.

Une d'elles, plus pâle que les autres, prononça pendant un silence :

– C'est affreux. Cela touche au « surnaturel ». On ne saura jamais rien.

Le magistrat se tourna vers elle :

15 – Oui, madame, il est probable qu'on ne saura jamais rien. Quand au mot « surnaturel » que vous venez d'employer, il n'a rien à faire ici. Nous sommes en présence d'un crime fort habilement conçu, fort habilement exécuté, si bien enveloppé de mystère que nous ne pouvons le dégager des circonstances impénétrables[2] qui l'entourent. 20 Mais j'ai eu, moi, autrefois, à suivre une affaire où vraiment semblait se mêler quelque chose de fantastique. Il a fallu l'abandonner, d'ailleurs, faute de moyens de l'éclaircir.

Plusieurs femmes prononcèrent en même temps, si vite que leurs voix n'en firent qu'une :

25 – Oh ! dites-nous cela.

M. Bermutier sourit gravement, comme doit sourire un juge d'instruction. Il reprit :

– N'allez pas croire, au moins, que j'aie pu, même un instant, supposer en cette aventure quelque chose de surhumain. Je ne 30 crois qu'aux causes normales. Mais si, au lieu d'employer le mot

---

1. **Avide et insatiable :** ces deux mots sont synonymes et désignent un besoin immodéré et perpétuellement insatisfait.
2. **Impénétrables :** inimaginables.

« surnaturel » pour exprimer ce que nous ne comprenons pas, nous nous servions simplement du mot « inexplicable », cela vaudrait beaucoup mieux. En tout cas, dans l'affaire que je vais vous dire, ce sont surtout les circonstances environnantes, les circonstances
35 préparatoires qui m'ont ému. Enfin, voici les faits :

J'étais alors juge d'instruction à Ajaccio, une petite ville blanche, couchée au bord d'un admirable golfe qu'entourent partout de hautes montagnes.

Ce que j'avais surtout à poursuivre[1] là-bas, c'étaient des affaires
40 de vendetta[2]. Il y en a de superbes, de dramatiques au possible, de féroces, d'héroïques. Nous retrouvons là les plus beaux sujets de vengeance qu'on puisse rêver, les haines séculaires[3], apaisées un moment, jamais éteintes, les ruses abominables, les assassinats devenant des massacres et presque des actions glorieuses. Depuis deux
45 ans, je n'entendais parler que du prix du sang, que de ce terrible préjugé corse qui force à venger toute injure sur la personne qui l'a faite, sur ses descendants et ses proches. J'avais vu égorger des vieillards, des enfants, des cousins, j'avais la tête pleine de ces histoires.

Or, j'appris un jour qu'un Anglais venait de louer pour plusieurs
50 années une petite villa au fond du golfe. Il avait amené avec lui un domestique français, pris à Marseille en passant.

Bientôt tout le monde s'occupa de ce personnage singulier, qui vivait seul dans sa demeure, ne sortant que pour chasser et pour pêcher. Il ne parlait à personne, ne venait jamais à la ville, et, chaque
55 matin, s'exerçait pendant une heure ou deux, à tirer au pistolet et à la carabine.

Des légendes se firent autour de lui. On prétendit que c'était un haut personnage fuyant sa patrie pour des raisons politiques ; puis on affirma qu'il se cachait après avoir commis un crime épouvan-
60 table. On citait même des circonstances particulièrement horribles.

Je voulus, en ma qualité de juge d'instruction, prendre quelques renseignements sur cet homme ; mais il me fut impossible de rien apprendre. Il se faisait appeler sir John Rowell.

---

1. **Poursuivre :** engager des actions judiciaires.
2. **Vendetta :** « vengeance » en italien. Coutume corse par laquelle les membres de deux familles ennemies poursuivent éternellement leur vengeance.
3. **Séculaires :** qui durent plus d'un siècle.

Je me contentai donc de le surveiller de près ; mais on ne me 65 signalait, en réalité, rien de suspect à son égard.

Cependant, comme les rumeurs sur son compte continuaient, grossissaient, devenaient générales, je résolus d'essayer de voir moi-même cet étranger, et je me mis à chasser régulièrement dans les environs de sa propriété.

70 J'attendis longtemps une occasion. Elle se présenta enfin sous la forme d'une perdrix que je tirai et que je tuai devant le nez de l'Anglais. Mon chien me la rapporta ; mais, prenant aussitôt le gibier, j'allai m'excuser de mon inconvenance[1] et prier sir John Rowell d'accepter l'oiseau mort.

75 C'était un grand homme à cheveux rouges, à barbe rouge, très haut, très large, une sorte d'hercule[2] placide[3] et poli. Il n'avait rien de la raideur dite britannique et il me remercia vivement de ma délicatesse en un français accentué d'outre-Manche[4]. Au bout d'un mois, nous avions causé ensemble cinq ou six fois.

80 Un soir enfin, comme je passais devant sa porte, je l'aperçus qui fumait sa pipe, à cheval sur une chaise, dans son jardin. Je le saluai, et il m'invita à entrer pour boire un verre de bière. Je ne me le fis pas répéter.

Il me reçut avec toute la méticuleuse[5] courtoisie anglaise, parla 85 avec éloge de la France, de la Corse, déclara qu'il aimait beaucoup *cette* pays, et *cette* rivage.

Alors je lui posai, avec de grandes précautions et sous la forme d'un intérêt très vif, quelques questions sur sa vie, sur ses projets. Il répondit sans embarras, me raconta qu'il avait beaucoup voyagé, 90 en Afrique, dans les Indes, en Amérique. Il ajouta en riant :

– J'avé eu bôcoup d'aventures, oh ! yes.

Puis je me remis à parler chasse, et il me donna des détails les plus curieux sur la chasse à l'hippopotame, au tigre, à l'éléphant et même la chasse au gorille.

---

1. **Inconvenance :** action incorrecte, grossière.
2. **Hercule :** le mot ne prend pas de majuscule et désigne un homme très puissant, tel Hercule.
3. **Placide :** calme.
4. **Outre-Manche :** anglais.
5. **Méticuleuse :** attentive au moindre détail.

Je dis :

– Tous ces animaux sont redoutables.

Il sourit :

– Oh ! nô, le plus mauvais c'été l'homme.

Il se mit à rire tout à fait, d'un bon rire de gros Anglais content :

– J'avé beaucoup chassé l'homme aussi.

Puis il parla d'armes, et il m'offrit d'entrer chez lui pour me montrer des fusils de divers systèmes.

Son salon était tendu de noir, de soie noire brodée d'or. De grandes fleurs jaunes couraient sur l'étoffe sombre, brillaient comme du feu.

Il annonça :

– C'été une drap japonaise.

Mais, au milieu du plus large panneau, une chose étrange me tira l'œil. Sur un carré de velours rouge, un objet noir se détachait. Je m'approchai : c'était une main, une main d'homme. Non pas une main de squelette, blanche et propre, mais une main noire desséchée, avec les ongles jaunes, les muscles à nu et des traces de sang ancien, de sang pareil à une crasse, sur les os coupés net, comme d'un coup de hache, vers le milieu de l'avant-bras.

Autour du poignet, une énorme chaîne de fer, rivée, soudée à ce membre malpropre, l'attachait au mur par un anneau assez fort pour tenir un éléphant en laisse.

Je demandai :

– Qu'est-ce que cela ?

L'Anglais répondit tranquillement :

– C'été ma meilleur ennemi. Il vené d'Amérique. Il avé été fendu avec le sabre et arraché la peau avec une caillou coupante, et séché dans le soleil pendant huit jours. Aoh, très bonne pour moi, cette.

Je touchai ce débris humain qui avait dû appartenir à un colosse. Les doigts, démesurément longs, étaient attachés par des tendons[1] énormes que retenaient des lanières de peau par places. Cette main était affreuse à voir, écorchée ainsi, elle faisait penser naturellement à quelque vengeance de sauvage.

---

1. **Tendons :** tissus fibreux, blancs et solides, situés à l'extrémité des muscles et les reliant aux os.

Je dis :

130 – Cet homme devait être très fort.

L'Anglais prononça avec douceur :

– Aoh yes ; mais je été plus fort que lui. J'avé mis cette chaîne pour le tenir.

Je crus qu'il plaisantait. Je dis :

135 – Cette chaîne maintenant est bien inutile, la main ne se sauvera pas.

Sir John Rowell reprit gravement :

– Elle voulé toujours s'en aller. Cette chaîne été nécessaire.

D'un coup d'œil rapide j'interrogeai son visage, me demandant :

140 « Est-ce un fou, ou un mauvais plaisant ? »

Mais la figure demeurait impénétrable[1], tranquille et bienveillante. Je parlai d'autre chose et j'admirai les fusils.

Je remarquai cependant que trois revolvers chargés étaient posés sur les meubles, comme si cet homme eût vécu dans la crainte 145 constante d'une attaque.

Je revins plusieurs fois chez lui. Puis je n'y allai plus. On s'était accoutumé à sa présence ; il était devenu indifférent à tous.

Une année entière s'écoula. Or un matin, vers la fin de novembre, mon domestique me réveilla en m'annonçant que sir John Rowell 150 avait été assassiné dans la nuit.

Une demi-heure plus tard, je pénétrais dans la maison de l'Anglais avec le commissaire central et le capitaine de gendarmerie. Le valet, éperdu[2] et désespéré, pleurait devant la porte. Je soupçonnai d'abord cet homme, mais il était innocent.

155 On ne put jamais trouver le coupable.

En entrant dans le salon de sir John, j'aperçus du premier coup d'œil le cadavre étendu sur le dos, au milieu de la pièce.

Le gilet était déchiré, une manche arrachée pendait, tout annonçait qu'une lutte terrible avait eu lieu.

160 L'Anglais était mort étranglé ! Sa figure noire et gonflée, effrayante, semblait exprimer une épouvante abominable ; il tenait

---

1. **Impénétrable :** dont on ne peut deviner les sentiments.
2. **Éperdu :** terrifié.

entre ses dents serrées quelque chose ; et le cou, percé de cinq trous qu'on aurait dits faits avec des pointes de fer, était couvert de sang.

Un médecin nous rejoignit. Il examina longtemps les traces des doigts dans la chair et prononça ces étranges paroles :

– On dirait qu'il a été étranglé par un squelette.

Un frisson me passa dans le dos, et je jetai les yeux sur le mur, à la place où j'avais vu jadis l'horrible main d'écorché. Elle n'y était plus. La chaîne, brisée, pendait.

Alors je me baissai vers le mort, et je trouvai dans sa bouche crispée un des doigts de cette main disparue, coupé ou plutôt scié par les dents juste à la deuxième phalange.

Puis on procéda aux constatations. On ne découvrit rien. Aucune porte n'avait été forcée, aucune fenêtre, aucun meuble. Les deux chiens de garde ne s'étaient pas réveillés.

Voici, en quelques mots, la déposition[1] du domestique :

Depuis un mois, son maître semblait agité. Il avait reçu beaucoup de lettres, brûlées à mesure[2].

Souvent, prenant une cravache, dans une colère qui semblait de la démence, il avait frappé avec fureur cette main séchée, scellée au mur et enlevée, on ne sait comment, à l'heure même du crime.

Il se couchait fort tard et s'enfermait avec soin. Il avait toujours des armes à portée du bras. Souvent, la nuit, il parlait haut, comme s'il se fût querellé avec quelqu'un.

Cette nuit-là, par hasard, il n'avait fait aucun bruit, et c'est seulement en venant ouvrir les fenêtres que le serviteur avait trouvé sir John assassiné. Il ne soupçonnait personne.

Je communiquai ce que je savais du mort aux magistrats et aux officiers de la force publique, et on fit dans toute l'île une enquête minutieuse. On ne découvrit rien.

Or, une nuit, trois mois après le crime, j'eus un affreux cauchemar. Il me sembla que je voyais la main, l'horrible main, courir comme un scorpion ou comme une araignée le long de mes rideaux et de mes murs. Trois fois, je me réveillai, trois fois je me rendormis, trois fois je revis le hideux débris galoper autour de ma chambre en remuant les doigts comme des pattes.

---

1. **Déposition :** témoignage.
2. **À mesure :** au fur et à mesure.

Le lendemain, on me l'apporta, trouvé dans le cimetière, sur la tombe de sir John Rowell, enterré là ; car on n'avait pu découvrir sa famille. L'index manquait.

200 Voilà, mesdames, mon histoire. Je ne sais rien de plus.

Les femmes, éperdues, étaient pâles, frissonnantes. Une d'elles s'écria :

– Mais ce n'est pas un dénouement cela, ni une explication ! Nous n'allons pas dormir si vous ne nous dites pas ce qui s'était 205 passé selon vous.

Le magistrat sourit avec sévérité :

– Oh ! moi, mesdames, je vais gâter, certes, vos rêves terribles. Je pense tout simplement que le légitime propriétaire de la main n'était pas mort, qu'il est venu la chercher avec celle qui lui restait. 210 Mais je n'ai pu savoir comment il a fait, par exemple. C'est là une sorte de vendetta.

Une des femmes murmura :

– Non, ça ne doit pas être ainsi.

Et le juge d'instruction, souriant toujours, conclut :

215 – Je vous avais bien dit que mon explication ne vous irait pas.

Texte publié dans *Le Gaulois* du 23 décembre 1883,
puis publié dans le recueil *Contes du jour et de la nuit.*

Clefs d'analyse

Action et personnages

1. Montrez que la structure du conte est celle du récit dans le récit. À quel moment commence le deuxième récit ? Qui sont les deux narrateurs successifs ? Comment sont-ils désignés ?
2. Qui est le héros du récit encadré ? Qu'apprend-on sur lui (l. 49-104) ? Pourquoi des rumeurs courent-elles sur lui ? Qu'est-ce qui peut paraître inquiétant dans le personnage ?
3. Pourquoi peut-on dire que la main et la façon dont elle est présentée sur le panneau sont propres à terrifier le narrateur et le lecteur (l. 107-138) ?
4. Quels signes indiquent que la mort de sir John a été particulièrement violente et horrible (l. 158-172) ?
5. Le narrateur s'interroge sur la santé mentale de son hôte (l. 140). Qu'est-ce qui pourrait aller dans le sens de l'hypothèse de la folie (l. 173-184) ?
6. Comment peut s'explique le cauchemar du juge d'instruction (l. 191-196) ?

Langue

7. Qu'est-ce qu'une vendetta ? Quelle opinion le narrateur en a-t-il (l. 39-48) ?
8. Comment le narrateur transcrit-il le parler et l'accent anglais (l. 84-138) ?
9. Expliquez l'expression « C'été ma meilleur ennemi » (l. 120).
10. Comment comprenez-vous la phrase : « Le magistrat sourit avec sévérité » (l. 206) ?

Genre ou thèmes

11. Montrez que le récit encadrant inscrit l'histoire dans le réel.
12. Quel est le problème posé dans le récit encadrant ? Relevez deux réseaux lexicaux qui mettent ce problème en valeur.

13. Relevez tous les éléments qui permettent d'expliquer le meurtre de sir John comme étant l'action d'une puissance fantastique.
14. Relevez tous les éléments qui permettent de lui donner une explication réaliste.
15. Quels personnages défendent l'explication fantastique ? Qui défend l'explication rationnelle ?
16. Est-il possible de connaître l'opinion du narrateur du récit encadrant ? Cette fin permet-elle de donner une réponse au problème posé au début ?

Écriture

17. Imaginez une courte histoire fantastique au cours de laquelle un objet habituellement inanimé prend vie. Vous la raconterez d'abord dans un registre tragique ou pathétique puis dans un registre comique. Vous donnerez un titre à chacun de vos récits.
18. Racontez le combat qui a opposé sir John à son « meilleur ennemi ». Vous imaginerez le lieu, le moment et les circonstances qui ont conduit les deux hommes à s'affronter. Vous décrirez le combat jusqu'à son issue sans oublier d'indiquer ce qu'est devenu l'adversaire de l'Anglais.

Pour aller plus loin

19. L'objet inanimé qui prend vie est un des thèmes habituels du récit fantastique. Retrouvez ce thème dans plusieurs récits fantastiques de Théophile Gautier. Dans quel registre est-il traité ?

* À retenir

Le récit fantastique développe des thèmes spécifiques parmi lesquels celui de l'objet (ou de la partie du corps) qui prend vie. Le lecteur hésite entre deux solutions : ou bien sir John a été assassiné par un ennemi, ou bien c'est la main qui l'a tué sauvagement. La première ne remet pas en question les lois de notre monde, la deuxième ouvre sur un univers régi par des lois inconnues.

Apparition

On parlait de séquestration à propos d'un procès récent. C'était à la fin d'une soirée intime, rue de Grenelle, dans un ancien hôtel[1], et chacun avait son histoire, une histoire qu'il affirmait vraie.

Alors le vieux marquis de la Tour-Samuel, âgé de quatre-vingt-deux ans, se leva et vint s'appuyer à la cheminée. Il dit de sa voix un peu tremblante :

– Moi aussi, je sais une chose étrange, tellement étrange, qu'elle a été l'obsession de ma vie. Voici maintenant cinquante-six ans que cette aventure m'est arrivée, et il ne se passe pas un mois sans que je la revoie en rêve. Il m'est demeuré de ce jour-là une marque, une empreinte de peur, me comprenez-vous ? Oui, j'ai subi l'horrible épouvante, pendant dix minutes, d'une telle façon que depuis cette heure une sorte de terreur constante m'est restée dans l'âme. Les bruits inattendus me font tressaillir jusqu'au cœur ; les objets que je distingue mal dans l'ombre du soir me donnent une envie folle de me sauver. J'ai peur la nuit, enfin.

Oh ! je n'aurais pas avoué cela avant d'être arrivé à l'âge où je suis. Maintenant je peux tout dire. Il est permis de n'être pas brave devant les dangers imaginaires, quand on a quatre-vingt-deux ans. Devant les dangers véritables, je n'ai jamais reculé, mesdames.

Cette histoire m'a tellement bouleversé l'esprit, a jeté en moi un trouble si profond, si mystérieux, si épouvantable, que je ne l'ai même jamais racontée. Je l'ai gardée dans le fond intime de moi, dans ce fond où l'on cache les secrets pénibles, les secrets honteux, toutes les inavouables faiblesses que nous avons dans notre existence.

Je vais vous dire l'aventure telle quelle, sans chercher à l'expliquer. Il est bien certain qu'elle est explicable, à moins que je n'aie eu mon heure de folie. Mais non, je n'ai pas été fou, et vous en donnerai la preuve. Imaginez ce que vous voudrez. Voici les faits tout simples.

---

1. **Hôtel :** hôtel particulier, grande maison de ville habitée par un particulier.

C'était en 1827, au mois de juillet. Je me trouvais à Rouen en garnison[1].

Un jour, comme je me promenais sur le quai, je rencontrai un homme que je crus reconnaître sans me rappeler au juste qui c'était. Je fis, par instinct, un mouvement pour m'arrêter. L'étranger aperçut ce geste, me regarda et tomba dans mes bras.

C'était un ami de jeunesse que j'avais beaucoup aimé. Depuis cinq ans que je ne l'avais vu, il semblait vieilli d'un demi-siècle. Ses cheveux étaient tout blancs ; et il marchait courbé, comme épuisé. Il comprit ma surprise et me conta sa vie. Un malheur terrible l'avait brisé.

Devenu follement amoureux d'une jeune fille, il l'avait épousée dans une sorte d'extase de bonheur. Après un an d'une félicité[2] surhumaine et d'une passion inapaisée, elle était morte subitement d'une maladie de cœur, tuée par l'amour lui-même, sans doute.

Il avait quitté son château le jour même de l'enterrement, et il était venu habiter son hôtel de Rouen. Il vivait là, solitaire et désespéré, rongé par la douleur, si misérable[3] qu'il ne pensait qu'au suicide.

« Puisque je te retrouve ainsi, me dit-il, je te demanderai de me rendre un grand service, c'est d'aller chercher chez moi dans le secrétaire[4] de ma chambre, de notre chambre, quelques papiers dont j'ai un urgent besoin. Je ne puis charger de ce soin un subalterne[5] ou un homme d'affaires, car il me faut une impénétrable discrétion et un silence absolu. Quant à moi, pour rien au monde je ne rentrerai dans cette maison.

« Je te donnerai la clef de cette chambre que j'ai fermée moi-même en partant, et la clef de son secrétaire. Tu remettras en outre un mot de moi à mon jardinier qui t'ouvrira le château.

« Mais viens déjeuner avec moi demain, et nous causerons de cela. »

---

1. **Garnison :** une garnison est une troupe militaire qui séjourne dans une ville.
2. **Félicité :** bonheur parfait.
3. **Misérable :** malheureux, pitoyable.
4. **Secrétaire :** meuble à tiroirs destiné à ranger des papiers. Il comprend une tablette rabattable qui permet d'écrire.
5. **Subalterne :** de rang inférieur, subordonné.

Je lui promis de lui rendre ce léger service. Ce n'était d'ailleurs qu'une promenade pour moi, son domaine se trouvant situé à cinq lieues[1] de Rouen environ. J'en avais pour une heure à cheval.

À dix heures, le lendemain, j'étais chez lui. Nous déjeunâmes en tête à tête ; mais il ne prononça pas vingt paroles. Il me pria de l'excuser ; la pensée de la visite que j'allais faire dans cette chambre, où gisait son bonheur, le bouleversait, me disait-il. Il me parut en effet singulièrement agité, préoccupé, comme si un mystérieux combat se fût livré dans son âme.

Enfin il m'expliqua exactement ce que je devais faire. C'était bien simple. Il me fallait prendre deux paquets de lettres et une liasse de papiers enfermés dans le premier tiroir de droite du meuble dont j'avais la clef. Il ajouta :

« Je n'ai pas besoin de te prier de n'y point jeter les yeux. »

Je fus presque blessé de cette parole, et je le lui dis un peu vivement. Il balbutia :

« Pardonne-moi, je souffre trop. »

Et il se mit à pleurer.

Je le quittai vers une heure pour accomplir ma mission.

Il faisait un temps radieux, et j'allais au grand trot à travers les prairies, écoutant des chants d'alouettes et le bruit rythmé de mon sabre sur ma botte.

Puis j'entrai dans la forêt et je mis au pas mon cheval. Des branches d'arbres me caressaient le visage ; et parfois j'attrapais une feuille avec mes dents et je la mâchais avidement, dans une de ces joies de vivre qui vous emplissent, on ne sait pourquoi, d'un bonheur tumultueux et comme insaisissable, d'une sorte d'ivresse de force.

En approchant du château, je cherchai dans ma poche la lettre que j'avais pour le jardinier, et je m'aperçus avec étonnement qu'elle était cachetée[2]. Je fus tellement surpris et irrité que je faillis revenir sans m'acquitter de ma commission. Puis je songeai que j'allais montrer là une susceptibilité de mauvais goût. Mon ami avait pu d'ailleurs fermer ce mot sans y prendre garde, dans le trouble où il était.

---

1. **Cinq lieues :** vingt kilomètres environ.
2. **Cachetée :** fermée ; les enveloppes étaient fermées grâce à un cachet à la cire, c'est-à-dire une marque faite sur de la cire par un tampon.

Le manoir semblait abandonné depuis vingt ans. La barrière, ouverte et pourrie, tenait debout on ne sait comment. L'herbe emplissait les allées ; on ne distinguait plus les plates-bandes du gazon.
100 Au bruit que je fis en tapant à coups de pied dans un volet, un vieil homme sortit d'une porte de côté et parut stupéfait de me voir. Je sautai à terre et je remis ma lettre. Il la lut, la relut, la retourna, me considéra en dessous, mit le papier dans sa poche et prononça :

« Eh bien ! qu'est-ce que vous désirez ? »

105 Je répondis brusquement :

« Vous devez le savoir, puisque vous avez reçu là-dedans les ordres de votre maître ; je veux entrer dans ce château. »

Il semblait atterré[1]. Il déclara :

« Alors, vous allez dans... dans sa chambre ? »

110 Je commençai à m'impatienter.

« Parbleu ! Mais est-ce que vous auriez l'intention de m'interroger, par hasard ? »

Il balbutia :

« Non... monsieur... mais c'est que... c'est qu'elle n'a pas été 115 ouverte depuis... depuis la... mort. Si vous voulez m'attendre cinq minutes, je vais aller... aller voir si... »

Je l'interrompis avec colère :

« Ah ! çà, voyons, vous fichez-vous de moi ? Vous n'y pouvez pas entrer, puisque voici la clef. »

120 Il ne savait plus que dire.

« Alors, monsieur, je vais vous montrer la route.

– Montrez-moi l'escalier et laissez-moi seul. Je la trouverai bien sans vous.

– Mais... monsieur... cependant... »

125 Cette fois, je m'emportai tout à fait :

« Maintenant, taisez-vous, n'est-ce pas ? ou vous aurez affaire à moi. »

Je l'écartai violemment et je pénétrai dans la maison.

Je traversai d'abord la cuisine, puis deux petites pièces que cet 130 homme habitait avec sa femme. Je franchis ensuite un grand vestibule, je montai l'escalier et je reconnus la porte indiquée par mon ami.

Je l'ouvris sans peine et j'entrai.

---

1. **Atterré :** consterné, stupéfié.

L'appartement était tellement sombre que je n'y distinguai rien d'abord. Je m'arrêtai, saisi par cette odeur moisie et fade des pièces inhabitées et condamnées, des chambres mortes. Puis, peu à peu, mes yeux s'habituèrent à l'obscurité, et je vis assez nettement une grande pièce en désordre, avec un lit sans draps, mais gardant ses matelas et ses oreillers, dont l'un portait l'empreinte profonde d'un coude ou d'une tête comme si on venait de se poser dessus. Les sièges semblaient en déroute. Je remarquai qu'une porte, celle d'une armoire sans doute, était demeurée entrouverte.

J'allai d'abord à la fenêtre pour donner du jour et je l'ouvris ; mais les ferrures du contrevent[1] étaient tellement rouillées que je ne pus les faire céder.

J'essayai même de les casser avec mon sabre, sans y parvenir. Comme je m'irritais de ces efforts inutiles, et comme mes yeux s'étaient enfin parfaitement accoutumés à l'ombre, je renonçai à l'espoir d'y voir plus clair et j'allai au secrétaire.

Je m'assis dans un fauteuil, j'abattis la tablette, j'ouvris le tiroir indiqué. Il était plein jusqu'aux bords. Il ne me fallait que trois paquets, que je savais comment reconnaître, et je me mis à les chercher.

Je m'écarquillais les yeux à déchiffrer les suscriptions[2], quand je crus entendre ou plutôt sentir un frôlement derrière moi. Je n'y pris point garde, pensant qu'un courant d'air avait fait remuer quelque étoffe. Mais, au bout d'une minute, un autre mouvement, presque indistinct, me fit passer sur la peau un singulier petit frisson désagréable. C'était tellement bête d'être ému, même à peine, que je ne voulus pas me retourner, par pudeur pour moi-même. Je venais alors de découvrir la seconde des liasses qu'il me fallait ; et je trouvais justement la troisième, quand un grand et pénible soupir, poussé contre mon épaule, me fit faire un bond de fou à deux mètres de là. Dans mon élan je m'étais retourné, la main sur la poignée de mon sabre, et certes, si je ne l'avais pas senti à mon côté, je me serais enfui comme un lâche.

Une grande femme vêtue de blanc me regardait, debout derrière le fauteuil où j'étais assis une seconde plus tôt.

1. **Contrevent :** volet.
2. **Suscriptions :** adresses inscrites sur les lettres.

Une telle secousse me courut dans les membres que je faillis m'abattre à la renverse ! Oh ! personne ne peut comprendre, à
170 moins de les avoir ressenties, ces épouvantables et stupides terreurs. L'âme se fond ; on ne sent plus son cœur ; le corps entier devient mou comme une éponge, on dirait que tout l'intérieur de nous s'écroule.

Je ne crois pas aux fantômes ; eh bien ! j'ai défailli sous la
175 hideuse peur des morts, et j'ai souffert, oh ! souffert en quelques instants plus qu'en tout le reste de ma vie, dans l'angoisse irrésistible des épouvantes surnaturelles.

Si elle n'avait pas parlé, je serais mort peut-être ! Mais elle parla ; elle parla d'une voix douce et douloureuse qui faisait vibrer les
180 nerfs. Je n'oserais pas dire que je redevins maître de moi et que je retrouvai ma raison. Non. J'étais éperdu à ne plus savoir ce que je faisais ; mais cette espèce de fierté intime que j'ai en moi, un peu d'orgueil de métier aussi, me faisaient garder, presque malgré moi, une contenance honorable. Je posais[1] pour moi et pour elle sans
185 doute, pour elle, quelle qu'elle fût, femme ou spectre. Je me suis rendu compte de tout cela plus tard, car je vous assure que, dans l'instant de l'apparition, je ne songeais à rien. J'avais peur.

Elle dit :

« Oh ! monsieur, vous pouvez me rendre un grand service ! »

190 Je voulus répondre, mais il me fut impossible de prononcer un mot. Un bruit vague sortit de ma gorge.

Elle reprit :

« Voulez-vous ? Vous pouvez me sauver, me guérir. Je souffre affreusement. Je souffre, oh ! je souffre ! »

195 Et elle s'assit doucement dans mon fauteuil. Elle me regardait : « Voulez-vous ? »

Je fis : « Oui ! » de la tête, ayant encore la voix paralysée.

Alors elle me tendit un peigne en écaille et elle murmura :

« Peignez-moi, oh ! peignez-moi ; cela me guérira ; il faut qu'on
200 me peigne. Regardez ma tête... Comme je souffre ; et mes cheveux comme ils me font mal ! »

Ses cheveux dénoués, très longs, très noirs, me semblait-il, pendaient par-dessus le dossier du fauteuil et touchaient la terre.

---

1. **Je posais :** je gardais une attitude digne, je me maîtrisais.

Pourquoi ai-je fait ceci ? Pourquoi ai-je reçu en frissonnant ce peigne, et pourquoi ai-je pris dans mes mains ses longs cheveux qui me donnèrent à la peau une sensation de froid atroce comme si j'eusse manié des serpents ? Je n'en sais rien.

Cette sensation m'est restée dans les doigts et je tressaille en y songeant.

Je la peignai. Je maniai je ne sais comment cette chevelure de glace. Je la tordis, je la renouai et la dénouai ; je la tressai comme on tresse la crinière d'un cheval. Elle soupirait, penchait la tête, semblait heureuse.

Soudain elle me dit : « Merci ! » m'arracha le peigne des mains et s'enfuit par la porte que j'avais remarquée entrouverte.

Resté seul, j'eus, pendant quelques secondes, ce trouble effaré des réveils après les cauchemars. Puis je repris enfin mes sens ; je courus à la fenêtre et je brisai les contrevents d'une poussée furieuse.

Un flot de jour entra. Je m'élançai sur la porte par où cet être était parti. Je la trouvai fermée et inébranlable.

Alors une fièvre de fuite m'envahit, une panique, la vraie panique des batailles. Je saisis brusquement les trois paquets de lettres sur le secrétaire ouvert ; je traversai l'appartement en courant, je sautai les marches de l'escalier quatre par quatre, je me trouvai dehors et je ne sais par où, et, apercevant mon cheval à dix pas de moi, je l'enfourchai d'un bond et partis au galop.

Je ne m'arrêtai qu'à Rouen, et devant mon logis. Ayant jeté la bride à mon ordonnance[1], je me sauvai dans ma chambre où je m'enfermai pour réfléchir.

Alors, pendant une heure, je me demandai anxieusement si je n'avais pas été le jouet d'une hallucination[2]. Certes, j'avais eu un de ces incompréhensibles ébranlements nerveux, un de ces affolements du cerveau qui enfantent les miracles, à qui le Surnaturel doit sa puissance.

Et j'allais croire à une vision, à une erreur de mes sens, quand je m'approchai de ma fenêtre. Mes yeux, par hasard, descendirent sur

---

1. **Ordonnance :** nom féminin désignant un soldat attaché à un officier.
2. **Hallucination :** trouble psychologique qui conduit un individu à percevoir des choses ou des phénomènes irréels ; illusions.

ma poitrine. Mon dolman[1] était plein de longs cheveux de femme qui s'étaient enroulés aux boutons !

240 Je les saisis un à un et je les jetai dehors avec des tremblements dans les doigts.

Puis j'appelai mon ordonnance. Je me sentais trop ému, trop troublé, pour aller le jour même chez mon ami. Et puis je voulais mûrement réfléchir à ce que je devais lui dire.

245 Je lui fis porter ses lettres, dont il remit un reçu au soldat. Il s'informa beaucoup de moi. On lui dit que j'étais souffrant, que j'avais reçu un coup de soleil, je ne sais quoi. Il parut inquiet.

Je me rendis chez lui le lendemain, dès l'aube, résolu à lui dire la vérité. Il était sorti la veille au soir et pas rentré.

250 Je revins dans la journée, on ne l'avait pas revu. J'attendis une semaine. Il ne reparut pas. Alors je prévins la justice. On le fit rechercher partout, sans découvrir une trace de son passage ou de sa retraite[2].

Une visite minutieuse fut faite au château abandonné. On n'y 255 découvrit rien de suspect.

Aucun indice ne révéla qu'une femme y eût été cachée.

L'enquête n'aboutissant à rien, les recherches furent interrompues.

Et, depuis cinquante-six ans, je n'ai rien appris. Je ne sais rien de plus.

Texte publié dans *Le Gaulois* du 4 avril 1883,
puis publié dans le recueil *Clair de lune.*

---

1. **Dolman :** veste à brandebourgs portée jadis par les cavaliers dans l'armée.
2. **Retraite :** cachette.

Clefs d'analyse

Action et personnages

1. Comment le narrateur du récit principal, « le vieux marquis de la Tour-Samuel », se présente-t-il lui-même ? Le lecteur peut-il ou non se montrer sceptique sur le récit qui va suivre ?
2. Qu'est-ce qui peut paraître étrange dans le service demandé par l'ami du narrateur (l. 51-60) ?
3. Comment se manifeste le trouble de cet ami (l. 66-71) ?
4. Quel est l'état d'esprit du narrateur (l. 82-89) ? Quel est le rôle de ce passage ?
5. Pourquoi le manoir peut-il faire penser au château de la Belle au bois dormant ? Quel rôle peut jouer cette référence implicite au conte ?
6. Pourquoi peut-on dire que la demande de la femme de se faire peigner est inattendue, et même incongrue ?
7. De quelles façons peut s'expliquer l'apparition de la femme ? Plusieurs solutions sont possibles.
8. Comment peut s'expliquer la disparition de l'ami du narrateur ? Justifiez votre réponse.

Langue

9. Relevez les deux réseaux lexicaux antithétiques du bonheur et du malheur (l. 38-50). Montrez que l'expression des sentiments est hyperbolique.
10. Sur quel ton est faite la demande de la femme pour se faire peigner ? Justifiez votre réponse.
11. Par quels procédés d'écriture s'exprime la panique du narrateur au moment où il s'enfuit de la maison de son ami (l. 222-227) ?

Genre ou thèmes

12. À quel problème posé dans un autre conte vous fait penser la réflexion du narrateur (l. 17-20) ? Qu'est-ce que cela annonce pour la suite du récit ?

Clefs d'analyse Apparition

13. Quelles sont les étapes successives qui font monter l'angoisse du narrateur et du lecteur ?
14. Quelles sensations fait naître chez le narrateur le contact avec la chevelure de la femme ?
15. À partir de quand le narrateur reprend-il ses esprits ? Comment se manifeste son retour à la raison ?
16. En quoi l'incipit (l. 7-33) contribue-il à la dramatisation du récit ?

Écriture

17. Rédigez l'incipit d'un récit. Chaque élève de la classe inscrit sur des papiers différents les éléments suivants : le nom d'un personnage avec son métier et deux traits de caractère, un lieu avec deux éléments de description, le moment, le thème central de l'histoire, le problème posé. Les papiers sont mélangés dans des bacs différents et chaque élève choisit un papier de chaque bac. L'incipit est rédigé à partir des éléments tirés au sort.

Pour aller plus loin

18. Recherchez au CDI des recueils de nouvelles (fantastiques ou non). Choisissez deux nouvelles et analysez les incipit. Quels éléments sont donnés au lecteur ? Que peut-on attendre pour la suite du récit ? Qu'est-ce qui est laissé en suspens ?

* À retenir

Un début de récit, l'incipit, doit attirer le lecteur et lui apporter rapidement les éléments nécessaires pour cadrer l'histoire et la comprendre : le lieu, le moment, le personnage principal, le genre, le thème. Cependant, il laisse en suspens certains points pour donner au lecteur envie de lire la suite : pourquoi l'ami du narrateur ne veut-il pas retourner chez lui ?

Lui ?

À Pierre Decourcelle.[1]

MON CHER AMI, tu n'y comprends rien ? et je le conçois. Tu me crois devenu fou ? Je le suis peut-être un peu, mais non pas pour les raisons que tu supposes.

Oui. Je me marie. Voilà.

Et pourtant mes idées et mes convictions n'ont pas changé. Je considère l'accouplement légal comme une bêtise. Je suis certain que huit maris sur dix sont cocus. Et ils ne méritent pas moins pour avoir eu l'imbécillité d'enchaîner leur vie, de renoncer à l'amour libre, la seule chose gaie et bonne au monde, de couper l'aile à la fantaisie qui nous pousse sans cesse à toutes les femmes, etc., etc. Plus que jamais je me sens incapable d'aimer une femme parce que j'aimerai toujours trop toutes les autres. Je voudrais avoir mille bras, mille lèvres et mille... tempéraments pour pouvoir étreindre en même temps une armée de ces êtres charmants et sans importance.

Et cependant je me marie.

J'ajoute que je ne connais guère ma femme de demain. Je l'ai vue seulement quatre ou cinq fois. Je sais qu'elle ne me déplaît point ; cela me suffit pour ce que j'en veux faire. Elle est petite, blonde et grasse. Après-demain, je désirerai ardemment une femme grande, brune et mince.

Elle n'est pas riche. Elle appartient à une famille moyenne. C'est une jeune fille comme on en trouve à la grosse[2], bonnes à marier, sans qualités et sans défauts apparents, dans la bourgeoisie ordinaire. On dit d'elle : « Mlle Lajolle est bien gentille. » On dira demain : « Elle est fort gentille, Mme Raymon. » Elle appartient enfin à la légion[3] des jeunes filles honnêtes « dont on est heureux de faire sa femme » jusqu'au jour où on découvre qu'on préfère justement toutes les autres femmes à celle qu'on a choisie.

---

1. **Pierre Decourcelle :** écrivain et dramaturge français (1856-1926).
2. **À la grosse :** à profusion, en abondance.
3. **Légion :** multitude.

30 Alors pourquoi me marier, diras-tu ?

J'ose à peine t'avouer l'étrange et invraisemblable raison qui me pousse à cet acte insensé.

Je me marie pour n'être pas seul.

Je ne sais comment dire cela, comment me faire comprendre. Tu 35 auras pitié de moi, et tu me mépriseras, tant mon état d'esprit est misérable.

Je ne veux plus être seul, la nuit. Je veux sentir un être près de moi, contre moi, un être qui peut parler, dire quelque chose, n'importe quoi.

40 Je veux pouvoir briser son sommeil ; lui poser une question quelconque brusquement, une question stupide pour entendre une voix, pour sentir habitée ma demeure, pour sentir une âme en éveil, un raisonnement en travail, pour voir, allumant brusquement ma bougie, une figure humaine à mon côté..., parce que... 45 parce que... (je n'ose pas avouer cette honte)... parce que j'ai peur, tout seul.

Oh ! tu ne me comprends pas encore.

Je n'ai pas peur d'un danger. Un homme entrerait, je le tuerais sans frissonner. Je n'ai pas peur des revenants ; je ne crois pas au 50 surnaturel. Je n'ai pas peur des morts ; je crois à l'anéantissement définitif de chaque être qui disparaît !

Alors !... oui. Alors !... Eh bien ! j'ai peur de moi ! j'ai peur de la peur ; peur des spasmes de mon esprit qui s'affole, peur de cette horrible sensation de la terreur incompréhensible.

55 Ris si tu veux. Cela est affreux, inguérissable. J'ai peur des murs, des meubles, des objets familiers qui s'animent, pour moi, d'une sorte de vie animale. J'ai peur surtout du trouble horrible de ma pensée, de ma raison qui m'échappe brouillée, dispersée par une mystérieuse et invisible angoisse.

60 Je sens d'abord une vague inquiétude qui me passe dans l'âme et me fait courir un frisson sur la peau. Je regarde autour de moi. Rien ! Et je voudrais quelque chose ! Quoi ? Quelque chose de compréhensible. Puisque j'ai peur uniquement parce que je ne comprends pas ma peur.

65 Je parle ! j'ai peur de ma voix. Je marche ! j'ai peur de l'inconnu de derrière la porte, de derrière le rideau, de dans l'armoire, de sous le lit. Et pourtant je sais qu'il n'y a rien nulle part.

Je me retourne brusquement parce que j'ai peur de ce qui est derrière moi, bien qu'il n'y ait rien et que je le sache.

70 Je m'agite, je sens mon effarement grandir ; et je m'enferme dans ma chambre ; et je m'enfonce dans mon lit, et je me cache sous mes draps ; et blotti, roulé comme une boule, je ferme les yeux désespérément, et je demeure ainsi pendant un temps infini avec cette pensée que ma bougie demeure allumée sur ma table de nuit 75 et qu'il faudrait pourtant l'éteindre. Et je n'ose pas.

N'est-ce pas affreux, d'être ainsi ?

Autrefois je n'éprouvais rien de cela. Je rentrais tranquillement. J'allais et je venais en mon logis sans que rien troublât la sérénité de mon âme. Si l'on m'avait dit quelle maladie de peur invraisem- 80 blable, stupide et terrible, devait me saisir un jour, j'aurais bien ri ; j'ouvrais les portes dans l'ombre avec assurance : je me couchais lentement sans pousser les verrous, et je ne me relevais jamais au milieu des nuits pour m'assurer que toutes les issues de ma chambre étaient fortement closes.

85 Cela a commencé l'an dernier d'une singulière façon.

C'était en automne, par un soir humide. Quand ma bonne fut partie, après mon dîner, je me demandai ce que j'allais faire. Je marchai quelque temps à travers ma chambre. Je me sentais las, accablé sans raison, incapable de travailler, sans force même pour lire. 90 Une pluie fine mouillait les vitres ; j'étais triste, tout pénétré par une de ces tristesses sans causes qui vous donnent envie de pleurer, qui vous font désirer de parler à n'importe qui pour secouer la lourdeur de notre pensée.

Je me sentais seul. Mon logis me paraissait vide comme il n'avait 95 jamais été. Une solitude infinie et navrante[1] m'entourait. Que faire ? Je m'assis. Alors une impatience nerveuse me courut dans les jambes. Je me relevai, et je me remis à marcher. J'avais peut-être aussi un peu de fièvre, car mes mains, que je tenais rejointes derrière mon dos, comme on fait souvent quand on se promène avec 100 lenteur, se brûlaient l'une à l'autre, et je le remarquai. Puis soudain un frisson de froid me courut dans le dos. Je pensai que l'humidité du dehors entrait chez moi, et l'idée de faire du feu me vint. J'en allumai ; c'était la première fois de l'année. Et je m'assis de nouveau

1. **Navrante :** désolante, pénible.

en regardant la flamme. Mais bientôt l'impossibilité de rester en
105 place me fit encore me relever, et je sentis qu'il fallait m'en aller, me secouer, trouver un ami.

Je sortis. J'allai chez trois camarades que je ne rencontrai pas ; puis, je gagnai le boulevard, décidé à découvrir une personne de connaissance.

110 Il faisait triste[1] partout. Les trottoirs trempés luisaient. Une tiédeur d'eau, une de ces tiédeurs qui vous glacent par frissons brusques, une tiédeur pesante de pluie impalpable[2] accablait la rue, semblait lasser et obscurcir la flamme du gaz.

J'allais d'un pas mou, me répétant : « Je ne trouverai personne
115 avec qui causer. »

J'inspectai plusieurs fois les cafés, depuis la Madeleine jusqu'au faubourg Poissonnière[3]. Des gens tristes, assis devant des tables, semblaient n'avoir pas même la force de finir leurs consommations.

J'errai longtemps ainsi, et, vers minuit, je me mis en route pour
120 rentrer chez moi. J'étais fort calme, mais fort las. Mon concierge, qui se couche avant onze heures, m'ouvrit tout de suite, contrairement à son habitude, et je pensai : « Tiens, un autre locataire vient sans doute de remonter. »

Quand je sors de chez moi, je donne toujours à ma porte deux
125 tours de clef. Je la trouvai simplement tirée, et cela me frappa. Je supposai qu'on m'avait monté des lettres dans la soirée.

J'entrai. Mon feu brûlait encore et éclairait même un peu l'appartement. Je pris une bougie pour aller l'allumer au foyer, lorsque, en jetant les yeux devant moi, j'aperçus quelqu'un assis dans mon
130 fauteuil, et qui se chauffait les pieds en me tournant le dos.

Je n'eus pas peur, oh ! non, pas le moins du monde. Une supposition très vraisemblable me traversa l'esprit ; celle qu'un de mes amis était venu pour me voir. La concierge, prévenue par moi à ma sortie, avait dit que j'allais rentrer, avait prêté sa clef. Et toutes
135 les circonstances de mon retour, en une seconde, me revinrent à la pensée : le cordon[4] tiré tout de suite, ma porte seulement poussée.

---

1. **Il faisait triste :** le temps était maussade.
2. **Impalpable :** insaisissable, immatériel.
3. **Depuis la Madeleine jusqu'au faubourg Poissonnière :** quartiers de Paris.
4. **Le cordon :** petite corde permettant d'ouvrir une porte.

Mon ami, dont je ne voyais que les cheveux, s'était endormi devant mon feu en m'attendant, et je m'avançai pour le réveiller. Je le voyais parfaitement, un de ses bras pendant à droite ; ses pieds
140 étaient croisés l'un sur l'autre ; sa tête, penchée un peu sur le côté gauche du fauteuil, indiquait bien le sommeil. Je me demandais : « Qui est-ce ? » On y voyait peu d'ailleurs dans la pièce. J'avançai la main pour lui toucher l'épaule !...

Je rencontrai le bois du siège ! Il n'y avait plus personne. Le fau-
145 teuil était vide !

Quel sursaut, miséricorde[1] !

Je reculai d'abord comme si un danger terrible eût apparu devant moi.

Puis je me retournai, sentant quelqu'un derrière mon dos ; puis,
150 aussitôt, un impérieux[2] besoin de revoir le fauteuil me fit pivoter encore une fois. Et je demeurai debout, haletant d'épouvante, tellement éperdu que je n'avais plus une pensée, prêt à tomber.

Mais je suis un homme de sang-froid, et tout de suite la raison me revint. Je songeai : « Je viens d'avoir une hallucination, voilà
155 tout. » Et je réfléchis immédiatement sur ce phénomène. La pensée va vite dans ces moments-là.

J'avais eu une hallucination – c'était là un fait incontestable. Or, mon esprit était demeuré tout le temps lucide, fonctionnant régulièrement et logiquement. Il n'y avait donc aucun trouble du côté
160 du cerveau. Les yeux seuls s'étaient trompés, avaient trompé ma pensée. Les yeux avaient eu une vision, une de ces visions qui font croire aux miracles les gens naïfs. C'était là un accident nerveux de l'appareil optique, rien de plus, un peu de congestion[3] peut-être.

Et j'allumai ma bougie. Je m'aperçus, en me baissant vers le feu,
165 que je tremblais, et je me relevai d'une secousse, comme si on m'eût touché par-derrière.

Je n'étais point tranquille assurément.

Je fis quelques pas ; je parlai haut. Je chantai à mi-voix quelques refrains.

---

1. **Miséricorde ! :** exclamation marquant la surprise, la douleur, l'inquiétude, le malheur ; synonyme de « mon Dieu ! ».
2. **Impérieux :** irrésistible.
3. **Congestion :** afflux de sang dans une partie du corps.

170 Puis je fermai la porte de ma chambre à double tour, et je me sentis un peu rassuré. Personne ne pouvait entrer, au moins.

Je m'assis encore et je réfléchis longtemps à mon aventure ; puis je me couchai, et je soufflai ma lumière.

Pendant quelques minutes, tout alla bien. Je restais sur le dos, 175 assez paisiblement. Puis le besoin me vint de regarder dans ma chambre ; et je me mis sur le côté.

Mon feu n'avait plus que deux ou trois tisons[1] rouges qui éclairaient juste les pieds du fauteuil ; et je crus revoir l'homme assis dessus.

180 J'enflammai une allumette d'un mouvement rapide. Je m'étais trompé, je ne voyais plus rien.

Je me levai, cependant, et j'allai cacher le fauteuil derrière mon lit.

Puis je refis l'obscurité et je tâchai de m'endormir. Je n'avais pas perdu connaissance depuis plus de cinq minutes, quand j'aperçus, 185 en songe, et nettement comme dans la réalité, toute la scène de la soirée. Je me réveillai éperdument, et, ayant éclairé mon logis, je demeurai assis dans mon lit, sans oser même essayer de redormir.

Deux fois cependant le sommeil m'envahit, malgré moi, pendant quelques secondes. Deux fois je revis la chose. Je me croyais 190 devenu fou.

Quand le jour parut, je me sentis guéri et je sommeillai paisiblement jusqu'à midi.

C'était fini, bien fini. J'avais eu la fièvre, le cauchemar, que sais-je ? J'avais été malade, enfin. Je me trouvai néanmoins fort bête.

195 Je fus très gai ce jour-là. Je dînai au cabaret ; j'allai voir le spectacle, puis je me mis en chemin pour rentrer. Mais voilà qu'en approchant de ma maison une inquiétude étrange me saisit. J'avais peur de le revoir, lui. Non pas peur de lui, non pas peur de sa présence, à laquelle je ne croyais point, mais j'avais peur d'un trouble 200 nouveau de mes yeux, peur de l'hallucination, peur de l'épouvante qui me saisirait.

Pendant plus d'une heure, j'errai de long en large sur le trottoir ; puis je me trouvai trop imbécile à la fin et j'entrai. Je haletais[2] tellement que je ne pouvais plus monter mon escalier. Je restai encore

---

1. **Tisons :** restes d'une bûche ou d'un morceau de bois en combustion.
2. **Je haletais :** j'étais essoufflé.

205 plus de dix minutes devant mon logement sur le palier, puis, brusquement, j'eus un élan de courage, un roidissement[1] de volonté. J'enfonçai ma clef ; je me précipitai en avant une bougie à la main, je poussai d'un coup de pied la porte entrebâillée de ma chambre, et je jetai un regard effaré vers la cheminée. Je ne vis rien. « Ah !... »
210 Quel soulagement ! Quelle joie ! Quelle délivrance ! J'allais et je venais d'un air gaillard[2]. Mais je ne me sentais pas rassuré ; je me retournais par sursauts ; l'ombre des coins m'inquiétait.

Je dormis mal, réveillé sans cesse par des bruits imaginaires. Mais je ne le vis pas. Non. C'était fini !

215 Depuis ce jour-là j'ai peur tout seul, la nuit. Je la sens là, près de moi, autour de moi, la vision. Elle ne m'est point apparue de nouveau. Oh non ! Et qu'importe, d'ailleurs, puisque je n'y crois pas, puisque je sais que ce n'est rien !

Elle me gêne cependant parce que j'y pense sans cesse. – Une
220 main pendait du côté droit ; sa tête était penchée du côté gauche comme celle d'un homme qui dort... Allons, assez, nom de Dieu ! je n'y veux plus songer !

Qu'est-ce que cette obsession, pourtant ? Pourquoi cette persistance ? Ses pieds étaient tout près du feu !

225 Il me hante, c'est fou, mais c'est ainsi. Qui, Il ? Je sais bien qu'il n'existe pas, que ce n'est rien ! Il n'existe que dans mon appréhension, que dans ma crainte, que dans mon angoisse ! Allons, assez !...

Oui, mais j'ai beau me raisonner, me roidir, je ne peux plus rester
230 seul chez moi, parce qu'il y est. Je ne le verrai plus, je le sais, il ne se montrera plus, c'est fini cela. Mais il y est tout de même, dans ma pensée. Il demeure invisible, cela n'empêche qu'il y soit. Il est derrière les portes, dans l'armoire fermée, sous le lit, dans tous les coins obscurs, dans toutes les ombres. Si je tourne la porte, si
235 j'ouvre l'armoire, si je baisse ma lumière sous le lit, si j'éclaire les coins, les ombres, il n'y est plus ; mais alors je le sens derrière moi. Je me retourne, certain cependant que je ne le verrai pas, que je ne le verrai plus. Il n'en est pas moins derrière moi, encore.

---

1. **Roidissement :** raidissement.
2. **Gaillard :** allègre, joyeux.

C'est stupide, mais c'est atroce. Que veux-tu ? Je n'y peux rien.
240 Mais si nous étions deux chez moi, je sens, oui, je sens assurément qu'il n'y serait plus ! Car il est là parce que je suis seul, uniquement parce que je suis seul !

Texte publié dans *Gil Blas* du 3 juillet 1883
sous la signature de Maufrigneuse,
puis publié dans le recueil *Les Sœurs Rondoli.*

Clefs d'analyse

Action et personnages

1. Quelle opinion le locuteur a-t-il du mariage ? Quelles expressions soulignent qu'il fait peu de cas de sa future épouse ?
2. Quelle idée permet de faire la transition entre les expressions répétées de « je me marie » et « j'ai peur » ? Comment expliquez-vous la répétition de « j'ai peur » ?
3. Quelles circonstances extérieures peuvent expliquer le malaise du narrateur ? Comment se manifeste son mal-être ?
4. Quand le narrateur commence-t-il à ressentir la peur ? Pour quelle raison ?
5. Le narrateur vous donne-t-il l'impression d'être fou ? Justifiez votre réponse.
6. Quel rôle jouent les ombres et les lumières dans les hallucinations du narrateur personnage ?
7. De quelles façons peut s'expliquer sa vision ? Trouvez au moins deux raisons différentes.
8. Justifiez le titre de la nouvelle.

Langue

9. À quel temps sont les verbes (l. 1-5) ? Justifiez son utilisation.
10. Analysez les verbes dans les lignes 85 à 87. À quels temps sont-ils ? Justifiez leur emploi.
11. Recherchez les traces d'oralité au début et à la fin du conte (l. 1-54 et l. 215-218).

Genre ou thèmes

12. Qui s'adresse à qui au début du conte ? Comment est désigné le locuteur ? le destinataire ? Comment se manifeste dans le texte l'amitié entre les deux personnages ?
13. Où commence le récit ? Citez la phrase. Avec quelle phrase s'achève-t-il ? Justifiez votre réponse en utilisant, en particulier, les temps des verbes.

14. Qui est le narrateur du récit ? Qui en est le personnage ? Quel est le point de vue ? Quel est l'intérêt de cette disposition pour le lecteur ?
15. De quelle manière est encadré ce récit ? S'agit-il d'une lettre ? Justifiez votre réponse.
16. Quel est l'intérêt de la construction de ce conte ?

Écriture

17. Écrivez une courte nouvelle construite sur le modèle de « Lui ? ». Le narrateur personnage tient tout d'abord un discours à un autre personnage pour lui exprimer les sentiments violents qui l'animent depuis quelque temps (angoisse, haine, amour...). Il fait ensuite un récit pour expliquer l'origine de son état et la persistance des symptômes.
18. Rédigez un texte qui commencera par la phrase : « Je hais » ou « J'aime ». Vous répéterez l'expression au début de chaque paragraphe. Vous en écrirez trois d'une dizaine de lignes chacun.

Pour aller plus loin

19. Le thème de l'être impalpable qui hante le personnage narrateur est repris par Maupassant dans d'autres contes. Retrouvez les autres versions de cette même histoire. L'une d'elles est l'un des récits les plus connus de l'auteur.

✻ *À retenir*

Le présent évoque une action qui a lieu au moment de l'énonciation, dans un passé ou un futur proche : Je pars maintenant / Je reviens à l'instant / Je reviens demain.
Il exprime l'habitude et la répétition : Je me promène souvent / Je vais au lycée tous les jours.
Il énonce une vérité générale : La Terre est ronde.
Le présent de narration est utilisé dans un récit au passé pour mettre en valeur une action, l'actualiser.
Il peut servir à donner un ordre : Tu fermes la porte s'il te plaît.

Qui sait ?

I

Mon Dieu ! Mon Dieu ! Je vais donc écrire enfin ce qui m'est arrivé ! Mais le pourrai-je ? l'oserai-je ? Cela est si bizarre, si inexplicable, si incompréhensible, si fou !

Si je n'étais sûr de ce que j'ai vu, sûr qu'il n'y a eu, dans mes raisonnements, aucune défaillance, aucune erreur dans mes constatations, pas de lacune[1] dans la suite inflexible de mes observations, je me croirais un simple halluciné, le jouet d'une étrange vision. Après tout, qui sait ?

Je suis aujourd'hui dans une maison de santé ; mais j'y suis entré volontairement, par prudence, par peur ! Un seul être connaît mon histoire. Le médecin d'ici. Je vais l'écrire. Je ne sais trop pourquoi ? Pour m'en débarrasser, car je la sens en moi comme un intolérable cauchemar.

La voici :

« J'ai toujours été un solitaire, un rêveur, une sorte de philosophe isolé, bienveillant, content de peu, sans aigreur[2] contre les hommes et sans rancune contre le ciel. J'ai vécu seul, sans cesse, par suite d'une sorte de gêne qu'insinue[3] en moi la présence des autres. Comment expliquer cela ? Je ne le pourrais. Je ne refuse pas de voir le monde, de causer, de dîner avec des amis, mais lorsque je les sens depuis longtemps près de moi, même les plus familiers, ils me lassent, me fatiguent, m'énervent, et j'éprouve une envie grandissante, harcelante, de les voir partir ou de m'en aller, d'être seul.

Cette envie est plus qu'un besoin, c'est une nécessité irrésistible. Et si la présence des gens avec qui je me trouve continuait, si je devais, non pas écouter, mais entendre longtemps encore leurs conversations, il m'arriverait, sans aucun doute, un accident.

---

1. **Lacune :** vide dans une série, une suite ; manque.
2. **Aigreur :** amertume, animosité.
3. **Insinue :** infiltre.

Lequel ? Ah ! qui sait ? Peut-être une simple syncope[1] ? Oui ! probablement !

30 J'aime tant être seul que je ne puis même supporter le voisinage d'autres êtres dormant sous mon toit ; je ne puis habiter Paris parce que j'y agonise indéfiniment. Je meurs moralement, et suis aussi supplicié dans mon corps et dans mes nerfs par cette immense foule qui grouille, qui vit autour de moi, même quand 35 elle dort. Ah ! le sommeil des autres m'est plus pénible encore que leur parole. Et je ne peux jamais me reposer, quand je sais, quand je sens, derrière un mur, des existences interrompues par ces régulières éclipses[2] de la raison.

Pourquoi suis-je ainsi ? Qui sait ? La cause en est peut-être fort 40 simple : je me fatigue très vite de tout ce qui ne se passe pas en moi. Et il y a beaucoup de gens dans mon cas.

Nous sommes deux races sur la terre. Ceux qui ont besoin des autres, que les autres distraient, occupent, reposent, et que la solitude harasse[3], épuise, anéantit, comme l'ascension d'un terrible gla-45 cier ou la traversée du désert, et ceux que les autres, au contraire, lassent, ennuient, gênent, courbaturent, tandis que l'isolement les calme, les baigne de repos dans l'indépendance et la fantaisie de leur pensée.

En somme, il y a là un normal phénomène psychique. Les uns 50 sont doués pour vivre en dehors, les autres pour vivre en dedans. Moi, j'ai l'attention extérieure courte et vite épuisée, et, dès qu'elle arrive à ses limites, j'en éprouve dans tout mon corps et dans toute mon intelligence un intolérable malaise.

Il en est résulté que je m'attache, que je m'étais attaché beau-55 coup aux objets inanimés qui prennent, pour moi, une importance d'êtres, et que ma maison est devenue, était devenue, un monde où je vivais d'une vie solitaire et active, au milieu de choses, de meubles, de bibelots familiers, sympathiques à mes yeux comme des visages. Je l'en avais emplie peu à peu, je l'en avais parée, et je 60 me sentais, dedans, content, satisfait, bien heureux comme entre

1. **Syncope :** malaise.
2. **Éclipses :** absences, défaillances.
3. **Harasse :** accable de fatigue.

les bras d'une femme aimable dont la caresse accoutumée est devenue un calme et doux besoin.

J'avais fait construire cette maison dans un beau jardin qui l'isolait des routes, et à la porte d'une ville où je pouvais trouver, à l'occasion, les ressources de société dont je sentais, par moments, le désir. Tous mes domestiques couchaient dans un bâtiment éloigné, au fond du potager, qu'entourait un grand mur. L'enveloppement obscur des nuits, dans le silence de ma demeure perdue, cachée, noyée sous les feuilles des grands arbres, m'était si reposant et si bon, que j'hésitais chaque soir, pendant plusieurs heures, à me mettre au lit pour le savourer plus longtemps.

Ce jour-là, on avait joué *Sigurd*[1] au théâtre de la ville. C'était la première fois que j'entendais ce beau drame musical et féerique, et j'y avais pris un vif plaisir.

Je revenais à pied, d'un pas allègre[2], la tête pleine de phrases sonores, et le regard hanté par de jolies visions. Il faisait noir, noir, mais noir au point que je distinguais à peine la grande route, et que je faillis, plusieurs fois, culbuter dans le fossé. De l'octroi[3] chez moi, il y a un kilomètre environ, peut-être un peu plus, soit vingt minutes de marche lente. Il était une heure du matin, une heure ou une heure et demie ; le ciel s'éclaircit un peu devant moi et le croissant parut, le triste croissant du dernier quartier de la lune. Le croissant du premier quartier, celui qui se lève à quatre ou cinq heures du soir, est clair, gai, frotté d'argent, mais celui qui se lève après minuit est rougeâtre, morne, inquiétant ; c'est le vrai croissant du Sabbat[4]. Tous les noctambules[5] ont dû faire cette remarque. Le premier, fût-il mince comme un fil, jette une petite lumière joyeuse qui réjouit le cœur, et dessine sur la terre des ombres nettes ; le dernier répand à peine une lueur mourante, si terne qu'elle ne fait presque pas d'ombres.

---

1. ***Sigurd* :** titre d'un opéra.
2. **Allègre :** plein d'entrain, gai.
3. **Octroi :** un octroi est une barrière placée à l'entrée d'une ville. On y prélève un impôt sur les marchandises. « De l'octroi chez moi » signifie « de l'octroi à chez moi ».
4. **Sabbat :** réunion nocturne de sorcières, au Moyen Âge.
5. **Noctambules :** ceux qui se promènent la nuit.

J'aperçus au loin la masse sombre de mon jardin, et je ne sais d'où me vint une sorte de malaise à l'idée d'entrer là-dedans. Je ralentis le pas. Il faisait très doux. Le gros tas d'arbres avait l'air d'un tombeau où ma maison était ensevelie.

95 J'ouvris ma barrière et je pénétrai dans la longue allée de sycomores[1], qui s'en allait vers le logis, arquée en voûte comme un haut tunnel, traversant des massifs opaques et contournant des gazons où les corbeilles de fleurs plaquaient, sous les ténèbres pâlies, des taches ovales aux nuances indistinctes.

100 En approchant de la maison, un trouble bizarre me saisit. Je m'arrêtai. On n'entendait rien. Il n'y avait pas dans les feuilles un souffle d'air. « Qu'est-ce que j'ai donc ? » pensai-je. Depuis dix ans je rentrais ainsi sans que jamais la moindre inquiétude m'eût effleuré. Je n'avais pas peur. Je n'ai jamais eu peur, la nuit. La vue 105 d'un homme, d'un maraudeur[2], d'un voleur m'aurait jeté une rage dans le corps, et j'aurais sauté dessus sans hésiter. J'étais armé, d'ailleurs. J'avais mon revolver. Mais je n'y touchai point, car je voulais résister à cette influence de crainte qui germait en moi.

Qu'était-ce ? Un pressentiment ? Le pressentiment mystérieux 110 qui s'empare des sens des hommes quand ils vont voir de l'inexplicable ? Peut-être ? Qui sait ?

À mesure que j'avançais, j'avais dans la peau des tressaillements, et quand je fus devant le mur, aux auvents[3] clos, de ma vaste demeure, je sentis qu'il me faudrait attendre quelques minutes 115 avant d'ouvrir la porte et d'entrer dedans. Alors, je m'assis sur un banc, sous les fenêtres de mon salon. Je restai là, un peu vibrant, la tête appuyée contre la muraille, les yeux ouverts sur l'ombre des feuillages. Pendant ces premiers instants, je ne remarquai rien d'insolite[4] autour de moi. J'avais dans les oreilles quelques ron120 flements ; mais cela m'arrive souvent. Il me semble parfois que j'entends passer des trains, que j'entends sonner des cloches, que j'entends marcher une foule.

---

1. **Sycomores :** arbres de la famille de l'érable.
2. **Maraudeur :** voleur.
3. **Auvents :** volets.
4. **Insolite :** inhabituel, bizarre.

Puis bientôt, ces ronflements devinrent plus distincts, plus précis, plus reconnaissables. Je m'étais trompé. Ce n'était pas le bourdonnement ordinaire de mes artères qui mettait dans mes oreilles ces rumeurs, mais un bruit très particulier, très confus cependant, qui venait, à n'en point douter, de l'intérieur de ma maison.

Je le distinguais à travers le mur, ce bruit continu, plutôt une agitation qu'un bruit, un remuement vague d'un tas de choses, comme si on eût secoué, déplacé, traîné doucement tous mes meubles.

Oh ! je doutai, pendant un temps assez long encore, de la sûreté de mon oreille. Mais l'ayant collée contre un auvent pour mieux percevoir ce trouble étrange de mon logis, je demeurai convaincu, certain, qu'il se passait chez moi quelque chose d'anormal et d'incompréhensible. Je n'avais pas peur, mais j'étais... comment exprimer cela... effaré d'étonnement. Je n'armai pas mon revolver – devinant fort bien que je n'en avais nul besoin. J'attendis.

J'attendis longtemps, ne pouvant me décider à rien, l'esprit lucide, mais follement anxieux. J'attendis, debout, écoutant toujours le bruit qui grandissait, qui prenait, par moments, une intensité violente, qui semblait devenir un grondement d'impatience, de colère, d'émeute mystérieuse.

Puis soudain, honteux de ma lâcheté, je saisis mon trousseau de clefs, je choisis celle qu'il me fallait, je l'enfonçai dans la serrure, je la fis tourner deux fois, et poussant la porte de toute ma force, j'envoyai le battant heurter la cloison.

Le coup sonna comme une détonation de fusil, et voilà qu'à ce bruit d'explosion répondit, du haut en bas de ma demeure, un formidable tumulte. Ce fut si subit, si terrible, si assourdissant que je reculai de quelques pas, et que, bien que le sentant toujours inutile, je tirai de sa gaine mon revolver.

J'attendis encore, oh ! peu de temps. Je distinguais, à présent, un extraordinaire piétinement sur les marches de mon escalier, sur les parquets, sur les tapis, un piétinement non pas de chaussures, de souliers humains, mais de béquilles, de béquilles de bois et de béquilles de fer qui vibraient comme des cymbales. Et voilà que j'aperçus tout à coup, sur le seuil de ma porte, un fauteuil, mon grand fauteuil de lecture, qui sortait en se dandinant. Il s'en alla par le jardin. D'autres le suivaient, ceux de mon salon, puis les canapés bas se traînant comme des crocodiles sur leurs courtes pattes, puis toutes mes chaises, avec des bonds de chèvres, et les petits tabourets qui trottaient comme des lapins.

Oh ! quelle émotion ! Je me glissai dans un massif où je demeurai accroupi, contemplant toujours ce défilé de mes meubles, car 165 ils s'en allaient tous, l'un derrière l'autre, vite ou lentement, selon leur taille et leur poids. Mon piano, mon grand piano à queue, passa avec un galop de cheval emporté et un murmure de musique dans le flanc, les moindres objets glissaient sur le sable comme des fourmis, les brosses, les cristaux, les coupes, où le clair de lune accro- 170 chait des phosphorescences[1] de vers luisants. Les étoffes rampaient, s'étalaient en flaques à la façon des pieuvres de la mer. Je vis paraître mon bureau, un rare bibelot[2] du dernier siècle, et qui contenait toutes les lettres que j'ai reçues, toute l'histoire de mon cœur, une vieille histoire dont j'ai tant souffert ! Et dedans étaient aussi des photographies.

175 Soudain, je n'eus plus peur, je m'élançai sur lui et je le saisis comme on saisit un voleur, comme on saisit une femme qui fuit ; mais il allait d'une course irrésistible, et malgré mes efforts, et malgré ma colère, je ne pus même ralentir sa marche. Comme je résistais en désespéré à cette force épouvantable, je m'abattis par 180 terre en luttant contre lui. Alors, il me roula, me traîna sur le sable, et déjà les meubles, qui le suivaient, commençaient à marcher sur moi, piétinant mes jambes et les meurtrissant ; puis, quand je l'eus lâché, les autres passèrent sur mon corps ainsi qu'une charge de cavalerie sur un soldat démonté[3].

185 Fou d'épouvante enfin, je pus me traîner hors de la grande allée et me cacher de nouveau dans les arbres, pour regarder disparaître les plus infimes objets, les plus petits, les plus modestes, les plus ignorés de moi, qui m'avaient appartenu.

Puis j'entendis, au loin, dans mon logis sonore à présent comme 190 les maisons vides, un formidable bruit de portes refermées. Elles claquèrent du haut en bas de la demeure, jusqu'à ce que celle du vestibule[4] que j'avais ouverte moi-même, insensé, pour ce départ, se fût close, enfin, la dernière.

---

1. **Phosphorescences :** émissions de lumière de certains corps dans l'obscurité.
2. **Bibelot :** objet décoratif et curieux.
3. **Démonté :** tombé de cheval.
4. **Vestibule :** entrée.

Je m'enfuis aussi, courant vers la ville, et je ne repris mon sang-froid que dans les rues, en rencontrant des gens attardés. J'allai sonner à la porte d'un hôtel où j'étais connu. J'avais battu, avec mes mains, mes vêtements pour en détacher la poussière et je racontai que j'avais perdu mon trousseau de clefs, qui contenait aussi celle du potager, où couchaient mes domestiques en une maison isolée, derrière le mur de clôture qui préservait mes fruits et mes légumes de la visite des maraudeurs.

Je m'enfonçai jusqu'aux yeux dans le lit qu'on me donna. Mais je ne pus dormir, et j'attendis le jour en écoutant bondir mon cœur. J'avais ordonné qu'on prévînt mes gens[1] dès l'aurore, et mon valet de chambre heurta ma porte à sept heures du matin.

Son visage semblait bouleversé.

– Il est arrivé cette nuit un grand malheur, monsieur, dit-il.

– Quoi donc ?

– On a volé tout le mobilier de monsieur, tout, tout, jusqu'aux plus petits objets.

Cette nouvelle me fit plaisir. Pourquoi ? Qui sait ? J'étais fort maître de moi, sûr de dissimuler, de ne rien dire à personne de ce que j'avais vu, de le cacher, de l'enterrer dans ma conscience comme un effroyable secret. Je répondis :

– Alors, ce sont les mêmes personnes qui m'ont volé mes clefs. Il faut prévenir tout de suite la police. Je me lève et je vous y rejoindrai dans quelques instants.

L'enquête dura cinq mois. On ne découvrit rien, on ne trouva plus le plus petit de mes bibelots, ni la plus légère trace des voleurs. Parbleu ! Si j'avais dit ce que je savais... Si je l'avais dit... on m'aurait enfermé, moi, pas les voleurs, mais l'homme qui avait pu voir une pareille chose.

Oh ! je sus me taire. Mais je ne remeublai pas ma maison. C'était bien inutile. Cela aurait recommencé toujours. Je n'y voulais plus rentrer. Je n'y rentrai pas. Je ne la revis point.

Je vins à Paris, à l'hôtel, et je consultai des médecins sur mon état nerveux qui m'inquiétait beaucoup depuis cette nuit déplorable.

Ils m'engagèrent à voyager. Je suivis leur conseil.

---

1. **Mes gens :** mes domestiques.

II

Je commençai par une excursion en Italie. Le soleil me fit du bien. Pendant six mois, j'errai de Gênes à Venise, de Venise à Florence, de Florence à Rome, de Rome à Naples. Puis je parcourus la Sicile, terre admirable par sa nature et ses monuments, reliques[1] laissées par les Grecs et les Normands. Je passai en Afrique, je traversai pacifiquement ce grand désert jaune et calme, où errent des chameaux, des gazelles et des Arabes vagabonds, où, dans l'air léger et transparent, ne flotte aucune hantise, pas plus la nuit que le jour.

Je rentrai en France par Marseille, et malgré la gaieté provençale, la lumière diminuée du ciel m'attrista. Je ressentis, en revenant sur le continent, l'étrange impression d'un malade qui se croit guéri et qu'une douleur sourde[2] prévient que le foyer du mal n'est pas éteint.

Puis je revins à Paris. Au bout d'un mois, je m'y ennuyai. C'était à l'automne, et je voulus faire, avant l'hiver, une excursion à travers la Normandie, que je ne connaissais pas.

Je commençai par Rouen, bien entendu, et pendant huit jours, j'errai distrait, ravi, enthousiasmé dans cette ville du Moyen Âge, dans ce surprenant musée d'extraordinaires monuments gothiques.

Or, un soir, vers quatre heures, comme je m'engageais dans une rue invraisemblable où coule une rivière noire comme de l'encre nommée « Eau de Robec », mon attention, toute fixée sur la physionomie[3] bizarre et antique des maisons, fut détournée tout à coup par la vue d'une série de boutiques de brocanteurs qui se suivaient de porte en porte.

Ah ! ils avaient bien choisi leur endroit, ces sordides[4] trafiquants de vieilleries, dans cette fantastique ruelle, au-dessus de ce cours d'eau sinistre, sous ces toits pointus de tuiles et d'ardoises où grinçaient encore les girouettes du passé !

---

1. **Reliques :** restes précieux du passé.
2. **Sourde :** imprécise.
3. **Physionomie :** apparence.
4. **Sordides :** ignobles.

Au fond des noirs magasins, on voyait s'entasser les bahuts[1] sculptés, les faïences de Rouen, de Nevers, de Moustiers, des statues peintes, d'autres en chêne, des christs, des vierges, des saints, des ornements d'église, des chasubles[2], des chapes[3], même des vases sacrés[4] et un vieux tabernacle[5] en bois doré d'où Dieu avait déménagé. Oh ! les singulières cavernes en ces hautes maisons, en ces grandes maisons, pleines, des caves aux greniers, d'objets de toute nature, dont l'existence semblait finie, qui survivaient à leurs naturels possesseurs, à leur siècle, à leur temps, à leurs modes, pour être achetés, comme curiosités, par les nouvelles générations.

Ma tendresse pour les bibelots se réveillait dans cette cité d'antiquaires. J'allais de boutique en boutique, traversant, en deux enjambées, les ponts de quatre planches pourries jetées sur le courant nauséabond[6] de l'Eau de Robec.

Miséricorde ! Quelle secousse ! Une de mes plus belles armoires m'apparut au bord d'une voûte encombrée d'objets et qui semblait l'entrée des catacombes[7] d'un cimetière de meubles anciens. Je m'approchai tremblant de tous mes membres, tremblant tellement que je n'osais pas la toucher. J'avançais la main, j'hésitais. C'était bien elle, pourtant : une armoire Louis XIII unique, reconnaissable par quiconque avait pu la voir une seule fois. Jetant soudain les yeux un peu plus loin, vers les profondeurs plus sombres de cette galerie, j'aperçus trois de mes fauteuils couverts de tapisserie au petit point, puis, plus loin encore, mes deux tables Henri II, si rares qu'on venait les voir de Paris.

Songez ! songez à l'état de mon âme !

---

1. **Bahuts :** au Moyen Âge, un bahut désigne un coffre de voyage ; ensuite, un buffet rustique long et bas.
2. **Chasubles :** vêtements que mettent les prêtres pour célébrer la messe.
3. **Chapes :** vêtements liturgiques, sortes de capes de cérémonie.
4. **Vases sacrés :** vases destinés à recevoir le vin de messe et l'hostie ; ils sont faits dans des métaux nobles.
5. **Tabernacle :** petite armoire qui contient le vase sacré dans lequel se trouvent les hosties consacrées.
6. **Nauséabond :** fétide, qui sent très mauvais.
7. **Catacombes :** cavités souterraines qui servent de tombeau.

Et j'avançai, perclus[1], agonisant d'émotion, mais j'avançai, car je suis brave, j'avançai comme un chevalier des époques ténébreuses pénétrait en un séjour de sortilèges[2]. Je retrouvais, de pas en pas, tout ce qui m'avait appartenu, mes lustres, mes livres, mes tableaux, mes étoffes, mes armes, tout, sauf le bureau plein de mes lettres, et que je n'aperçus point.

J'allais, descendant à des galeries obscures pour remonter ensuite aux étages supérieurs. J'étais seul. J'appelais, on ne répondait point. J'étais seul ; il n'y avait personne en cette maison vaste et tortueuse comme un labyrinthe.

La nuit vint, et je dus m'asseoir, dans les ténèbres, sur une de mes chaises, car je ne voulais point m'en aller. De temps en temps je criais :

– Holà ! holà ! quelqu'un !

J'étais là, certes, depuis plus d'une heure quand j'entendis des pas, des pas légers, lents, je ne sais où. Je faillis me sauver ; mais, me raidissant, j'appelai de nouveau, et j'aperçus une lueur dans la chambre voisine.

– Qui est là ? dit une voix.

Je répondis :

– Un acheteur.

On répliqua :

– Il est bien tard pour entrer ainsi dans les boutiques.

Je repris :

– Je vous attends depuis plus d'une heure.

– Vous pouviez revenir demain.

– Demain, j'aurai quitté Rouen.

Je n'osais point avancer, et il ne venait pas. Je voyais toujours la lueur de sa lumière éclairant une tapisserie où deux anges volaient au-dessus des morts d'un champ de bataille. Elle m'appartenait aussi. Je dis :

– Eh bien ! Venez-vous ?

Il répondit :

– Je vous attends.

Je me levai et j'allai vers lui.

---

1. **Perclus :** paralysé.
2. **Sortilèges :** maléfices, ensorcellements.

Au milieu d'une grande pièce était un tout petit homme, tout petit et très gros, gros comme un phénomène, un hideux phénomène. Il avait une barbe rare, aux poils inégaux, clairsemés et jaunâtres, et pas un cheveu sur la tête ! Pas un cheveu ! Comme il tenait sa bougie élevée à bout de bras pour m'apercevoir, son crâne m'apparut comme une petite lune dans cette vaste chambre encombrée de vieux meubles. La figure était ridée et bouffie, les yeux imperceptibles.

Je marchandai trois chaises qui étaient à moi, et les payai sur-le-champ une grosse somme, en donnant simplement le numéro de mon appartement à l'hôtel. Elles devaient être livrées le lendemain avant neuf heures.

Puis je sortis. Il me reconduisit jusqu'à sa porte avec beaucoup de politesse.

Je me rendis ensuite chez le commissaire central de la police, à qui je racontai le vol de mon mobilier et la découverte que je venais de faire.

Il demanda séance tenante des renseignements par télégraphe[1] au parquet[2] qui avait instruit l'affaire de ce vol, en me priant d'attendre la réponse. Une heure plus tard, elle lui parvint tout à fait satisfaisante pour moi.

Je vais faire arrêter cet homme et l'interroger tout de suite, me dit-il, car il pourrait avoir conçu quelque soupçon et faire disparaître ce qui vous appartient. Voulez-vous aller dîner et revenir dans deux heures, je l'aurai ici et je lui ferai subir un nouvel interrogatoire devant vous.

– Très volontiers, monsieur. Je vous remercie de tout mon cœur.

J'allai dîner à mon hôtel, et je mangeai mieux que je n'aurais cru. J'étais assez content tout de même. On le tenait.

Deux heures plus tard, je retournai chez le fonctionnaire de la police qui m'attendait.

– Eh bien ! monsieur, me dit-il en m'apercevant. On n'a pas trouvé votre homme. Mes agents n'ont pu mettre la main dessus.

– Ah !

---

1. **Télégraphe :** ancêtre du fax, de la télécopie.
2. **Parquet :** ensemble des magistrats.

Je me sentis défaillir[1].

– Mais... Vous avez bien trouvé sa maison ? demandai-je.

– Parfaitement. Elle va même être surveillée et gardée jusqu'à son retour. Quant à lui, disparu.

130 – Disparu ?

– Disparu. Il passe ordinairement ses soirées chez sa voisine, une brocanteuse aussi, une drôle de sorcière, la veuve Bidoin. Elle ne l'a pas vu ce soir, et ne peut donner sur lui aucun renseignement. Il faut attendre demain.

135 Je m'en allai. Ah ! que les rues de Rouen me semblèrent sinistres, troublantes, hantées.

Je dormis si mal, avec des cauchemars à chaque bout de sommeil.

Comme je ne voulais pas paraître trop inquiet ou pressé, j'attendis dix heures, le lendemain, pour me rendre à la police.

140 Le marchand n'avait pas reparu. Son magasin demeurait fermé.

Le commissaire me dit :

– J'ai fait toutes les démarches nécessaires. Le parquet est au courant de la chose ; nous allons aller ensemble à cette boutique et la faire ouvrir, vous m'indiquerez tout ce qui est à vous.

145 Un coupé[2] nous emporta. Des agents stationnaient, avec un serrurier, devant la porte de la boutique, qui fut ouverte.

Je n'aperçus, en entrant, ni mon armoire, ni mes fauteuils, ni mes tables, ni rien, rien, de ce qui avait meublé ma maison, mais rien, alors que la veille au soir je ne pouvais faire un pas sans rencontrer 150 un de mes objets.

Le commissaire central, surpris, me regarda d'abord avec méfiance.

– Mon Dieu, monsieur, lui dis-je, la disparition de ces meubles coïncide étrangement avec celle du marchand.

Il sourit :

155 – C'est vrai ! Vous avez eu tort d'acheter et de payer des bibelots à vous, hier. Cela lui a donné l'éveil.

Je repris :

– Ce qui me paraît incompréhensible, c'est que toutes les places occupées par mes meubles sont maintenant remplies par d'autres.

---

1. **Défaillir :** s'affaiblir.
2. **Coupé :** voiture fermée à quatre roues, tirée par un cheval.

160 – Oh ! répondit le commissaire, il a eu toute la nuit, et des complices sans doute. Cette maison doit communiquer avec les voisines. Ne craignez rien, monsieur, je vais m'occuper très activement de cette affaire. Le brigand ne nous échappera pas longtemps puisque nous gardons la tanière[1].

....

165 Ah ! mon cœur, mon cœur, mon pauvre cœur, comme il battait !

....

Je demeurai quinze jours à Rouen. L'homme ne revint pas. Parbleu ! parbleu ! Cet homme-là qui est-ce qui aurait pu l'embarrasser ou le surprendre ?

Or, le seizième jour, au matin, je reçus de mon jardinier, gardien
170 de ma maison pillée et demeurée vide, l'étrange lettre que voici :

"Monsieur,
J'ai l'honneur d'informer monsieur qu'il s'est passé, la nuit dernière, quelque chose que personne ne comprend, et la police pas plus que nous. Tous les meubles sont revenus, tous sans exception,
175 tous, jusqu'aux plus petits objets. La maison est maintenant toute pareille à ce qu'elle était la veille du vol. C'est à en perdre la tête. Cela s'est fait dans la nuit de vendredi à samedi. Les chemins sont défoncés comme si on avait traîné tout de la barrière à la porte. Il en était ainsi le jour de la disparition.
180 Nous attendons Monsieur, dont je suis le très humble serviteur.
Raudin, Philippe."

Ah ! mais non, ah ! mais non, ah ! mais non. Je n'y retournerai pas !

Je portai la lettre au commissaire de Rouen.

– C'est une restitution très adroite, dit-il. Faisons les morts. Nous
185 pincerons l'homme un de ces jours.

....

Mais on ne l'a pas pincé. Non. Ils ne l'ont pas pincé, et j'ai peur de lui, maintenant, comme si c'était une bête féroce lâchée derrière moi.

---

1. **Tanière :** repaire.

Introuvable ! Il est introuvable, ce monstre à crâne de lune ! On
190 ne le prendra jamais. Il ne reviendra point chez lui. Que lui importe à lui. Il n'y a que moi qui peux le rencontrer, et je ne veux pas.

Je ne veux pas ! je ne veux pas ! je ne veux pas !

Et s'il revient, s'il rentre dans sa boutique, qui pourra prouver que mes meubles étaient chez lui ? Il n'y a contre lui que mon
195 témoignage, et je sens bien qu'il devient suspect.

Ah ! mais non ! cette existence n'était plus possible. Et je ne pouvais pas garder le secret de ce que j'ai vu. Je ne pouvais pas continuer à vivre comme tout le monde avec la crainte que des choses pareilles recommençassent.

200 Je suis venu trouver le médecin qui dirige cette maison de santé, et je lui ai tout raconté.

Après m'avoir interrogé longtemps, il m'a dit :

– Consentiriez-vous, monsieur, à rester quelque temps ici ?

– Très volontiers, monsieur.

205 – Vous avez de la fortune ?

– Oui, monsieur.

– Voulez-vous un pavillon isolé ?

– Oui, monsieur.

– Voudrez-vous recevoir des amis ?

210 – Non, monsieur, non, personne. L'homme de Rouen pourrait oser, par vengeance, me poursuivre ici.

....

Et je suis seul, tout seul, depuis trois mois. Je suis tranquille à peu près. Je n'ai qu'une peur... Si l'antiquaire devenait fou... et si on l'amenait en cet asile... Les prisons elles-mêmes ne sont pas sûres... »

Texte publié dans *L'Écho de Paris* du 6 avril 1890,
puis dans le recueil *L'Inutile Beauté*.

Clefs d'analyse

Action et personnages

1. À quel moment le narrateur commence-t-il son récit écrit ? Où s'achève-t-il ? À quels signes pouvez-vous le délimiter ? À qui s'adresse-t-il au début de l'histoire (l. 1-14) ?
2. Quelles relations le personnage entretient-il avec autrui ? Quelle est sa théorie à ce sujet ?
3. Qu'est-ce qui prend chez lui la place des autres ? En quoi cela peut-il apporter une explication à l'histoire ?
4. Quel rôle joue le cadre spatio-temporel de l'histoire (l. 63-99) ?
5. Justifiez la division de l'histoire en deux chapitres. Qu'est-ce qui fait l'unité de chacun ?
6. Pourquoi le narrateur parle-t-il du brocanteur comme d'un « hideux phénomène » (l. 92-99) ?
7. Quelle explication rationnelle est donnée par le narrateur et le commissaire à la disparition et la réapparition du mobilier du narrateur ? Peut-il être satisfait de cette explication ?
8. Expliquez le titre « Qui sait ? » en vous appuyant sur les occurrences de l'expression.

Langue

9. Analysez les premiers mots du conte « Mon Dieu ! Mon Dieu ! ». Qu'est-ce que cela peut annoncer pour la suite du récit ?
10. Observez le rythme de la phrase : « Ah ! mon cœur, mon cœur, mon pauvre cœur, comme il battait ! » (ch. II, l. 165).
11. Expliquez la comparaison : « comme un chevalier des époques ténébreuses pénétrait en un séjour de sortilèges » (ch. II, l. 58-59).
12. Expliquez le rôle des quatre lignes de points.

Genre ou thèmes

13. Qui est le narrateur de ce récit ? Qui est le personnage principal ? Pourquoi décide-t-il d'écrire son histoire (l. 1-13) ?

14. Comment s'exprime la montée de la peur du personnage (l. 100-193) ?
15. Relevez le réseau lexical du bruit (l. 112-193). Quel rôle ces bruits jouent-ils dans la montée de la peur chez le personnage ?
16. Relevez le champ lexical de la vue (l. 156-188). Quel est son rôle ?
17. Quels signes pourraient justifier une interprétation selon laquelle le personnage est fou ?

Écriture

18. Racontez la même histoire du point de vue du brocanteur. Le récit sera réaliste. Le personnage raconte l'épisode à un comparse (ou aux policiers qui l'ont arrêté). Il expliquera rationnellement le vol et la restitution des biens.
19. Racontez la même histoire avec un narrateur externe et omniscient. Choisissez une explication rationnelle ou irrationnelle.
20. Le médecin qui a reçu le patient discute de son cas avec un collègue. Ils débattent autour de sa santé mentale.

Pour aller plus loin

Le personnage de l'étrange brocanteur se retrouve dans d'autres récits fantastiques. Lisez la nouvelle de Gautier « Le Pied de momie » et le début du roman de Balzac *La Peau de chagrin*. Quelles ressemblances voyez-vous entre ces personnages ?

✻ *À retenir*

Le narrateur personnage a un point de vue partiel et subjectif sur les événements. Son émotion transparaît constamment dans le récit, comme son angoisse et son incompréhension devant les événements. Cette position du narrateur incite le lecteur à s'identifier à lui et à perdre peu à peu ses propres repères rationnels. Et si la folie le gagnait ?

Les personnages

1. Reliez les objets aux personnages auxquels ils sont attachés :

a. Un canot
b. Un drap de soie brodé d'or
c. Une armoire Louis XIII
d. Un paquet de papiers
e. Un fusil
f. Un feu de cheminée

1. Le marquis de la Tour-Samuel
2. Le garde forestier de « La Peur »
3. Le personnage de « Sur l'eau »
4. Sir John Rowell dans « La Main »
5. Le personnage narrateur de « Lui ? »
6. Le narrateur de « Qui sait ? »

2. Découvrez les personnages dont voici les portraits :

a. Mes cheveux ont blanchi prématurément. Je parle peu et je vis dans la solitude et le désespoir.

b. Je suis un Anglais très grand et très fort aux cheveux roux. J'aime la chasse et la solitude.

c. Je suis tout petit et très gros. Je n'ai pas un cheveu sur la tête. Mes yeux disparaissent dans mon visage bouffi et ridé.

d. Je suis un misogyne avéré. J'ai parfois des hallucinations, c'est pourquoi j'ai peur la nuit quand je suis seul. Je suis peut-être un peu fou.

e. Je suis un solitaire, un rêveur, un misanthrope. J'aime passionnément les objets dont je m'entoure, comme j'aimerais des amis.

f. Je suis un canotier d'une trentaine d'années et j'ai une grande passion : la rivière.

g. Je suis une femme vêtue de blanc. J'ai les cheveux longs et noirs. Ma voix est douce.

h. J'ai le visage bronzé des voyageurs. Ma physionomie est grave et on devine que j'ai un courage à toute épreuve.

3. Reliez chaque citation au personnage qui convient :

a. « Le canot, qui redescendait avec le courant, fila sa chaîne jusqu'au bout, puis s'arrêta ; et je m'assis à l'arrière sur ma peau de mouton, aussi commodément qu'il me fut possible. »

b. « Quelque part, près de nous, dans une direction indéterminée, un tambour battait, le mystérieux tambour des dunes ; il battait distinctement, tantôt plus vibrant, tantôt affaibli, arrêtant, puis reprenant son roulement fantastique. »

c. « Ce que j'avais surtout à poursuivre là-bas, c'étaient des affaires de vendetta. »

d. « Peignez-moi, oh ! peignez-moi ; cela me guérira ; il faut qu'on me peigne. »

e. « Je vais faire arrêter cet homme et l'interroger tout de suite [...] car il pourrait avoir conçu quelque soupçon et faire disparaître ce qui vous appartient. »

f. « Je pris une bougie pour aller l'allumer au foyer, lorsque, en jetant les yeux devant moi, j'aperçus quelqu'un assis dans mon fauteuil, et qui se chauffait les pieds en me tournant le dos. »

g. « Moi aussi, je sais une chose étrange, tellement étrange, qu'elle a été l'obsession de ma vie. Voici maintenant cinquante-six ans que cette aventure m'est arrivée, et il ne se passe pas un mois sans que je la revoie en rêve. »

h. « Mon navire est resté six heures avec ce rocher dans le ventre, battu par la mer. »

1. le marquis de la Tour-Samuel dans « Apparition »

2. le personnage narrateur de « Lui ? »

3. le commandant dans « La Peur »

4. le personnage de « Sur l'eau »

5. le commissaire de police dans « Qui sait ? »

6. la femme vêtue de blanc dans « Apparition »

7. Monsieur Bermutier, juge d'instruction dans « La Main »

8. l'homme à figure brûlée dans « La Peur »

L'action

1. « La Peur »

a. Au milieu du Sahara, un Arabe épouvanté dit :

☐ « Tous les chameaux se sont enfuis ! »
☐ « Le vent de sable s'approche ! »
☐ « La mort est sur nous »

b. Le garde forestier tire un coup de fusil

☐ sur son chien
☐ sur un fantôme qui rôde autour de la maison
☐ sur un braconnier

2. « Sur l'eau »

a. Le personnage narrateur s'arrête au milieu du fleuve en pleine nuit :

☐ pour pêcher
☐ pour fumer une pipe
☐ pour manger

b. Obligé de passer la nuit, seul sur sa barque, il se rassure :

☐ en buvant du rhum
☐ en chantant de vieilles chansons
☐ en se remémorant ses pêches fabuleuses

3. « La Main »

a. La main que possède sir John Rowell a la particularité :

☐ d'avoir le pouce tranché
☐ d'être tatouée
☐ d'être attachée par une énorme chaîne de fer

b. Le juge d'instruction retrouve dans la bouche de sir John assassiné :

☐ un des doigts de la main qui était accrochée au mur de son salon
☐ un morceau de tissu inconnu en Europe
☐ un anneau en or d'une provenance inconnue

4. « Apparition »

a. Un ami de jeunesse demande au marquis de la Tour-Samuel :
- ☐ d'aller lui chercher une bague précieuse qu'il garde dans un coffre-fort
- ☐ d'aller lui chercher des papiers dans le secrétaire de sa chambre
- ☐ d'aller lui chercher la main qu'il gardait accrochée dans son salon

b. Une jeune femme demande au marquis :
- ☐ de lui donner un verre d'eau
- ☐ de l'embrasser
- ☐ de la peigner

5. « Lui ? »

a. Pour quelle raison le narrateur veut-il se marier ?
- ☐ Il a peur d'être seul la nuit.
- ☐ Il est tombé amoureux d'une femme.
- ☐ Il veut avoir des enfants.

b. Le narrateur est terrifié par une hallucination :
- ☐ Un homme le poursuit avec un poignard à la main.
- ☐ Un homme se tient endormi dans son fauteuil.
- ☐ Une femme vêtue de blanc désire qu'il la coiffe.

6. « Qui sait ? »

a. Le narrateur a une étrange vision en rentrant chez lui :
- ☐ Un bal se tient dans son salon entièrement illuminé.
- ☐ Les tableaux accrochés au mur de son manoir s'animent.
- ☐ Ses meubles quittent sa maison, comme s'ils prenaient la fuite.

b. Le narrateur retrouve ses meubles :
- ☐ chez un brocanteur à Rouen
- ☐ chez un ami
- ☐ chez un antiquaire des Champs-Élysées

7. Remettez en ordre l'histoire de l'« Apparition »

a. Bouleversé et terrifié, le marquis rentra chez lui et fit porter à son ami ses papiers par un soldat.

b. Il arriva dans un manoir qui semblait abandonné, pénétra dans le château malgré les réticences du jardinier et parvint à la chambre.

c. Le vieux marquis de la Tour-Samuel prend la parole pour raconter une chose étrange qui l'obsède encore dans sa vieillesse.

d. Il avait quitté son château le jour de l'enterrement pour n'y plus revenir, et vivait dans la solitude et le désespoir.

e. Celui-ci avait épousé une jeune fille dont il était tombé amoureux fou et qui était morte au bout d'un an, d'une maladie du cœur.

f. Une jeune femme vêtue de blanc lui apparut soudain et lui demanda de la peigner, puis elle disparut.

g. Il prévint la justice, mais on ne retrouva pas son ami et rien de suspect ne fut découvert dans le château.

h. Le lendemain, il alla lui rendre visite, disposé à lui parler de l'étrange apparition, mais il avait disparu.

i. Il avait demandé au marquis d'aller dans sa chambre pour prendre quelques papiers dont il avait besoin.

j. Plusieurs années auparavant, il avait rencontré à Rouen l'un de ses anciens amis qu'il avait trouvé terriblement changé, étonnamment vieilli.

8. Reliez chaque conte au cadre dans lequel il se déroule :

a. « Sur l'eau »	1. les grandes dunes au sud de Ouargla
b. « La Peur »	2. la Corse
c. « La Peur »	3. Rouen
d. « La Main »	4. la Seine et ses berges
e. « Apparition »	5. une maison isolée près de Rouen
f. « Lui ? »	6. une forêt au nord-est de la France
g. « Qui sait ? »	7. Paris

Vocabulaire

Avez-vous bien lu ?

1. Retrouvez la figure de style qui correspond à chacune des phrases suivantes : ***métaphore - énumération - hyperbole - personnification - comparaison - antithèse.***

a. « La terre est bornée pour le pêcheur, et dans l'ombre, quand il n'y a pas de lune, la rivière est illimitée. » (« Sur l'eau »)

b. « Je fus ébloui par le plus merveilleux, le plus étonnant spectacle qu'il soit possible de voir. » (« Sur l'eau »)

c. « Eh bien ! figurez-vous l'Océan lui-même devenu sable au milieu d'un ouragan ; imaginez une tempête silencieuse de vagues immobiles en poussière jaune. » (« La Peur »)

d. « Il y en a de superbes, de dramatiques au possible, de féroces, d'héroïques. » (« La Main »)

e. « Je l'en avais emplie peu à peu, je l'en avais parée, et je me sentais, dedans, content, satisfait, bien heureux comme entre les bras d'une femme aimable dont la caresse accoutumée est devenue un calme et doux besoin. » (« Qui sait ? »)

f. « Et voilà que j'aperçus tout à coup, sur le seuil de ma porte, un fauteuil, mon grand fauteuil de lecture, qui sortait en se dandinant. » (« Qui sait ? »)

2. Mots croisés :

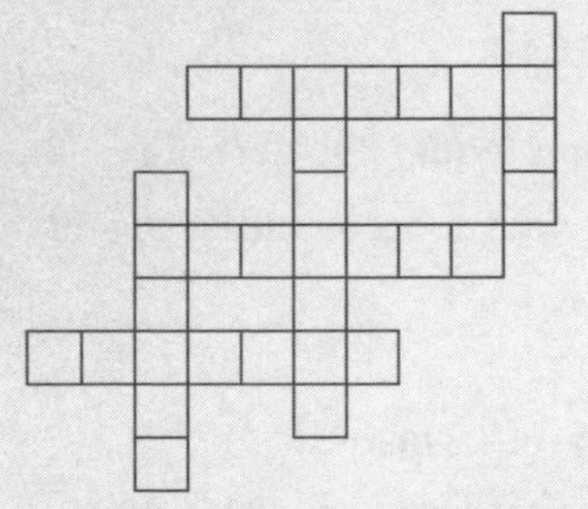

a. Horizontal

1. Appréhension inquiète.
2. Souvent collective.
3. Bouleverse et paralyse.

b. Vertical

1. Qui a l'esprit profondément troublé.
2. Angoissé.
3. Accompagne la prise de conscience d'un danger réel ou imaginé.

En savoir plus sur : **www.petitsclassiqueslarousse.com**

POUR APPROFONDIR

POUR APPROFONDIR

Thèmes et prolongements

✣ Le fantastique

Les contes de Maupassant regroupés dans ce recueil sont des récits fantastiques. Est-ce parce qu'ils racontent des histoires invraisemblables ? La peur est-elle un élément indispensable ? L'étrangeté inquiétante de certains personnages est-elle la base de ces histoires ? Bref, comment définir le fantastique en littérature ?

Le fantastique est à la mode au XIXe siècle

Maupassant écrit à une époque où la littérature fantastique connaît un grand succès. Les lecteurs français se délectent des *Contes* d'Hoffmann et des *Histoires extraordinaires* d'Edgar Poe. Des écrivains comme Gautier, Mérimée ou Nerval ont contribué à cet engouement du public. Ils racontent des histoires de mortes qui viennent hanter les vivants, d'objets qui bougent tout seuls... On retrouve ces thèmes chez Maupassant et, pourtant, le fantastique a changé au cours du siècle. Les interventions diaboliques et les cimetières hantés intéressent moins le public. Maupassant s'attache plutôt à décrire des hallucinations nées de troubles mentaux et à étudier des cas pathologiques vus de l'intérieur, à travers le regard du fou.

Qu'est-ce qu'un récit fantastique ?

Le fantastique, c'est l'irruption de l'irrationnel dans notre monde réel. Roger Caillois parle de l'apparition de « ce qui ne peut pas arriver et qui se produit pourtant ». Cette définition permet de distinguer le fantastique du conte de fées. Dans ce dernier, l'irréel comme l'intervention d'un ogre ou d'un chat qui parle est considéré comme « normal » et ne surprend nullement le lecteur. La science-fiction ne relève pas non plus du fantastique. Les personnages évoluent en effet dans un espace et à une époque différents des nôtres. Cet univers inventé n'a aucun contact avec notre monde. Les récits fantastiques, au contraire, sont bien ancrés dans notre réalité et le lecteur peut facilement s'identifier à un personnage qui lui ressemble et qui vit dans des lieux qu'il connaît bien. Dans ce monde familier surgit

alors brutalement un événement incompréhensible. Notre vision du monde en est bouleversée.
L'irruption d'un événement inexplicable dans un univers familier provoque chez le lecteur une hésitation entre deux solutions possibles : soit l'événement est le fruit d'un esprit malade et notre monde garde des normes inchangées ; soit l'événement a « réellement » eu lieu et notre monde est soumis à des lois inconnues et inquiétantes. Dans le conte intitulé « Qui sait ? », le narrateur voit ses meubles quitter sa maison. On peut penser qu'il est le jouet d'une illusion de l'esprit ou qu'un cambrioleur habile les a volés. Mais le lecteur s'interroge : et si son mobilier était parti tout seul ? Pour Tzetan Todorov, un théoricien contemporain, « le fantastique occupe le temps de cette hésitation ». Si la fin de l'histoire propose une solution, on sort du genre pour entrer dans d'autres catégories de récit : l'étrange, quand l'événement paraît bizarre mais possible ; le merveilleux quand il est impossible dans un univers régi par nos lois.

Pourquoi le fantastique a-t-il un tel succès au XIXe siècle ?

À cette époque où se développent les sciences et les techniques, le monde se dévoile. La raison domine. L'homme ressent pourtant un besoin d'irrationnel qui se faufile dans les failles de la science. Les pathologies mentales en particulier restent un mystère malgré les nombreuses recherches sur la folie. La littérature fantastique s'empare de ces zones d'ombre qui intéressent particulièrement les lecteurs.
Sous couvert de fiction, le fantastique permet aussi d'exprimer les profondeurs de l'âme humaine : les pulsions criminelles dans « La Main », le dédoublement dans « Lui ? ». Les études que Freud a menées un peu plus tard sur les névroses démoniaques ou les cas de dédoublement permettent de mieux comprendre le refoulement imposé par le XIXe siècle que certains des contes de Maupassant essaient de lever.

La structure des récits

La plupart des contes du recueil présentent une structure complexe avec un ou deux récits enchâssés. Cette façon de faire n'est pas nouvelle. On la trouve par exemple dans les *Mille et Une Nuits*. Comment Maupassant met-il en place cette structure et quel intérêt présente-t-elle ?

Le récit encadrant et le récit encadré

Dans toutes les nouvelles sauf les deux dernières (« Lui ? » et « Qui sait ? »), un premier narrateur intervient dans un cadre spatio-temporel donné, puis il laisse la parole à un deuxième narrateur qui assume le récit principal, situé dans un autre lieu et à une autre époque. On parle de récit encadrant pour le premier et de récit encadré pour le second. On a donc deux narrateurs, deux lieux et deux moments différents. Dans le conte « Apparition », le récit encadrant est pris en charge par un « on », l'histoire se situe « à la fin d'une soirée intime, rue de Grenelle ». Le récit encadré est raconté par le marquis de la Tour-Samuel. L'histoire se passe cinquante-six ans auparavant à Rouen. « La Peur » a la particularité de proposer deux récits encadrés différents, pris en charge par un même narrateur ; l'un se situe dans le désert et l'autre dans une forêt de l'est de la France. Les deux dernières nouvelles offrent une structure simple avec un seul narrateur et une seule histoire.

Le narrateur du récit encadrant et son rôle

Le narrateur du récit encadrant n'est pas impliqué dans l'histoire principale. Cependant, il est parfois lié au second narrateur. Il est son ami dans « Sur l'eau », une simple connaissance dans « Apparition ». Dans « La Peur », il ne le connaît pas et le découvre au moment où il raconte son histoire. Dans tous les cas, il s'agit d'un narrateur anonyme, un simple « je », « on », « nous ». Il est le destinataire du récit principal ou l'un des destinataires, au même titre, donc, que le lecteur. Dans certains contes, le récit s'achève sans qu'il reprenne la parole. « Sur l'eau » s'arrête sur l'évocation du cadavre de la vieille femme, « La Peur », sur la tête effrayante apparue à la fenêtre. Le lecteur est ainsi livré à lui-même. Lorsque le premier narrateur reprend le récit en main, il n'apporte pas de réponse aux interrogations du lecteur, bien au contraire. « Apparition » s'achève par : « je n'ai rien appris. Je ne sais rien de plus ». Dans « La Main », l'explication apportée par le juge d'instruction ne convainc personne dans l'assemblée. Le narrateur du récit encadrant est ainsi une figure du lecteur à la fois attentif, distancié et interrogateur. Il maintient l'hésitation qui, selon Tzetan Todorov, est l'une des caractéristiques du récit fantastique.

Les récits à structure simple

« Lui ? » et « Qui sait ? » présentent des structures simples. Pas de récit encadrant ni encadré. Un seul personnage raconte sa propre histoire. Chacune s'adresse pourtant à un destinataire implicitement ou explicitement présent. « Lui ? » débute par l'apostrophe « Mon cher ami » écrite en majuscules. Ce personnage anonyme est-il présent physiquement ? S'agit-il d'une lettre ? On pencherait pour la première explication, étant donné l'aspect oral que prend parfois cette confession. Un tel personnage joue un peu le rôle du narrateur du récit encadrant : il est le destinataire du récit, il n'apporte aucune explication, il permet de créer une distance avec l'histoire (un ami peut conseiller, juger, aider). Il est cependant très rapidement évoqué, très elliptique, renforçant ainsi l'impression de solitude qui pèse sur le personnage principal. Dans « Qui sait ? », le narrateur écrit son histoire. Pour qui ? Pour lui-même, pour son médecin ? Un destinataire implicite apparaît alors en filigrane. Le récit a pour but de prendre une certaine distance par rapport à l'histoire vécue. Mais le lecteur conserve le sentiment que le fou est cantonné dans son monde et enfermé dans sa solitude.

✣ Le cadre réaliste des récits

Maupassant donne un cadre réaliste à ses contes fantastiques. Les héros évoluent dans un espace et un temps familiers aux lecteurs. C'est tout d'abord une condition nécessaire pour adhérer aux événements invraisemblables qui sont racontés et pour s'en effrayer. Mais l'étrange surgit paradoxalement aussi de cette temporalité et de ces lieux bien réels.

Les repères temporels

Les histoires présentent toujours des repères temporels. Cela peut être une date comme dans « Apparition » : « C'était en 1827, au mois de juillet », une indication relative de temps : « il y a une dizaine d'années » (« Sur l'eau »), une saison : « C'était en automne, par un soir humide » (« Lui ? »). Ces repères sont habituels dans le récit, mais Maupassant se montre particulièrement précis dans la chronologie des faits, cherchant à donner une idée exacte de la durée des événements. Dans « Qui sait ? », le narrateur rapporte qu'il lui faut « vingt minutes de marche lente » pour rentrer chez lui et qu'il était « une heure du matin ». Les indices se multiplient tout au long de l'histoire : « à sept heures du matin... l'enquête dura cinq mois... Pendant six mois... Au bout d'un mois... pendant huit jours... un soir, vers quatre heures... La nuit vint... dans deux heures... Deux heures plus tard... ». Le lecteur suit ainsi le déroulement de l'histoire rythmée de manière familière, ce qui conforte sa confiance dans le narrateur. Pourtant, quelque chose soudainement ne correspond plus au déroulement normal du temps : en une nuit, le brocanteur suspect a disparu avec tous les meubles volés qui ont été remplacés par d'autres. Le lecteur comme le personnage sont plongés dans une parfaite incompréhension. La précision temporelle, après avoir été un indice rassurant, crée finalement l'inquiétude.

Des lieux familiers et inquiétants

Les histoires se déroulent dans des lieux familiers aux lecteurs : les bords de Seine, Paris, Rouen, la Corse, une forêt au nord-est de la

France. Le désert du Sahara est le seul endroit un peu exotique. Rien d'inquiétant dans les espaces décrits, plutôt familiers : le narrateur de « Sur l'eau » aime le fleuve au point d'y passer une grande partie de son temps, celui de « La Peur » traverse la forêt pour aller chasser, Paris regorge d'amis. Les personnages parcourent ces lieux sans appréhension particulière pour pêcher, chasser, voyager, se promener ; cependant, l'espace commence à devenir inquiétant dès qu'il se referme : tant que le canot glisse sur la Seine, tout va pour le mieux ; mais, dès qu'il est amarré, enveloppé par le brouillard, l'angoisse pointe. La description de la Seine au cours de la nuit est parfaitement réaliste, mais donne simplement une image étrange de la rivière dont le personnage est comme prisonnier. La peur surgit ainsi dans des lieux fermés et intimes. Le narrateur de « Qui sait ? » ne veut plus revenir chez lui, celui de « Lui ? » voit son double uniquement dans son appartement ; la maison barricadée du garde forestier est propre à faire naître la panique, de même que celle du brocanteur. Certains contes mettent en valeur cette opposition entre l'extérieur et l'intérieur. Dans « Apparition », le jeune marquis prend plaisir à parcourir la campagne à cheval. Il parle de « joies de vivre [...] bonheur tumultueux [...] une sorte d'ivresse de force ». Dans la chambre close, il cherche d'abord, et en vain, à ouvrir les volets et sent l'odeur odieuse de la mort. Cette clôture est bien évidemment le plus souvent liée à l'obscurité. Beaucoup d'histoires se déroulent la nuit, mais les lieux, quelle que soit l'heure, sont obscurs. Le salon de sir John est tendu de soie noire. À quatre heures de l'après-midi, les magasins des brocanteurs paraissent noirs, avec des profondeurs sombres. On ne peut s'empêcher d'assimiler cette obscurité au trouble de l'esprit des narrateurs.

Les personnages

Les contes de Maupassant font intervenir très peu de personnages, comme le veut la structure resserrée de la nouvelle. Le plus souvent, les héros des histoires vivent dans une solitude qui favorise l'apparition d'êtres fantasmatiques. Ils sont presque interchangeables tant ils présentent des caractéristiques similaires.

Des héros anonymes

Le lecteur ne sait pratiquement rien des héros des contes. Seuls les personnages de « La Main » et de « Apparition » portent un nom. Ils sont le plus souvent désignés par une caractéristique particulière : « le vieux canotier », « l'Anglais », « l'homme au teint bronzé ». Ils ne font pas l'objet de portraits précis. Celui de l'Anglais est étonnamment rapide : « un grand homme à cheveux rouges, [...] très haut, très large, une sorte d'hercule placide et poli », et c'est le seul. On connaît quelquefois à peu près leur âge « un homme de trente à quarante ans », « âgé de quatre-vingt-deux ans », mais pas toujours. Leur profession est rarement évoquée : un ancien militaire dans « Apparition », un vieux baroudeur dans « La Peur ». Les autres paraissent vivre dans l'aisance, sans travailler. Ce sont tous des hommes. Ces caractères flous facilitent l'identification du lecteur.

Des héros solitaires

Les héros vivent seuls, sans femme, presque toujours sans ami. Le personnage de « Lui ? » revendique son célibat : « Je considère l'accouplement légal comme une bêtise. » L'amitié paraît fragile et vite compromise. Le personnage de « La Peur » perd son meilleur ami dans le désert, celui de « Apparition » retrouve un ancien camarade qui disparaît aussitôt. Le narrateur de « Sur l'eau » parle simplement d'une « connaissance ». Cette solitude est généralement vécue comme un état heureux, choisi et non subi, sans contrainte sociale ou familiale. Le héros de « Lui ? » est une exception, mais la sensation de vide qui l'étreint est liée à un état de fièvre inhabituel. La solitude va cependant souvent de pair avec une sorte de claustration. Les héros sont comme enfermés dans leur petit univers : les bords de la Seine (« Sur l'eau »), leur propriété, leur maison ou leur appartement (« La Main », « Qui sait ? », « Lui ? »). Leur misogynie se double souvent d'une misanthropie.

Des héros forts et fragiles

Les personnages des contes de Maupassant sont des passionnés : ils se montrent liés, de façon presque maniaque, à un lieu (la Seine), des objets (la main, du mobilier), une posture (le célibat). Il y a, dans cet attachement, quelque chose qui frise le morbide. On peut s'interroger sur l'attraction procurée par la rivière avec ses « profondeurs noires où l'on pourrit dans la vase » ; sur l'effet produit par la main d'un mort avec « les muscles à nu et des traces de sang ancien », par des meubles, « objets inanimés qui prennent [...] une importance d'êtres » (« Qui sait ? »). La folie les guette : selon son domestique, sir John est saisi de crises de démence ; le narrateur de « Qui sait ? » préfère s'enfermer dans un asile, et celui de « Lui ? » s'interroge sur sa santé mentale. Paradoxalement, les personnages ont dans le même temps un esprit rationnel et parfaitement logique. Ils n'acceptent pas facilement l'incompréhensible et ne sont pas superstitieux. Avant de raconter son aventure, le héros de « Apparition » annonce : « Il est bien certain qu'elle est explicable, à moins que je n'aie eu mon heure de folie. » Lorsqu'il croit voir quelqu'un dans son fauteuil, le personnage de « Lui ? » pense d'abord qu'il est malade avant de s'inquiéter de la réalité de sa vision. Selon qu'un aspect de la personnalité ou l'autre prend le dessus, le personnage sombre ou non dans la pathologie mentale. Le héros de « Sur l'eau » raconte son histoire avec beaucoup de distance, mais les narrateurs des deux derniers contes deviennent fous.

Textes et images

❖ La peur

La peur étreint chacun depuis l'enfance : peur du grand méchant loup ou de la mort, peur qui a sa racine au plus profond de notre moi, ou qui surgit du monde extérieur et des autres. Avoir peur, est-ce être lâche et méprisable ou est-ce laisser parler la part d'humanité qui est en nous ?

Documents :

❶ Charles Perrault, *Contes*, « La Barbe bleue » (1696).

❷ Paul-Louis Courier, *Lettre à Madame Pigalle à Lille* (25 octobre 1806).

❸ Victor Hugo, *Le Dernier Jour d'un condamné* (1829).

❹ Céline, *Voyage au bout de la nuit* (1932).

❺ *The Birds (Les Oiseaux)*, réalisation Alfred Hitchcock (1963).

❻ *The Secret beyond the Door (Le Secret derrière la porte)*, réalisation Fritz Lang, avec Joan Bennett et Michael Redgrave (1948).

❼ *M (M le Maudit)*, réalisation Fritz Lang (1931).

❶ *Quelque temps après son dernier mariage, la Barbe bleue, riche seigneur, part en voyage en laissant les clefs du château à sa jeune femme. Il lui donne toute liberté, sauf celle d'ouvrir la porte d'un certain cabinet. La curiosité la pousse à désobéir à son mari.*

1 Étant arrivée à la porte du cabinet, elle s'y arrêta quelque temps, songeant à la défense que son mari lui avait faite, et considérant qu'il pourrait lui arriver malheur d'avoir été désobéissante ; mais la tentation était si forte qu'elle ne put la surmonter : elle prit donc la
5 petite clef, et ouvrit en tremblant la porte du cabinet. D'abord elle ne vit rien, parce que les fenêtres étaient fermées ; après quelques moments elle commença à voir que le plancher était tout couvert

de sang caillé, et que ce sang se mirait dans les corps de plusieurs femmes mortes et attachées le long des murs (c'étaient toutes les
10 femmes que la Barbe bleue avait épousées et qu'il avait égorgées l'une après l'autre). Elle pensa mourir de peur, et la clef du cabinet qu'elle venait de retirer de la serrure lui tomba de la main. Après avoir un peu repris ses esprits, elle ramassa la clef, referma la porte, et monta à sa chambre pour se remettre un peu ; mais elle n'en
15 pouvait venir à bout tant elle était émue. Ayant remarqué que la clef du cabinet était tachée de sang, elle l'essuya deux ou trois fois, mais le sang ne s'en allait point ; elle eut beau la laver, et même la frotter avec du sablon[1] et avec du grais[2], il y demeura toujours du sang, car la clef était fée, et il n'y avait pas moyen de la nettoyer tout à fait :
20 quand on ôtait le sang d'un côté, il revenait de l'autre. La Barbe bleue revint de son voyage dès le soir même [...]. Le lendemain il lui redemanda les clefs, et elle les lui donna, mais d'une main si tremblante, qu'il devina sans peine tout ce qui s'était passé. « D'où vient, lui dit-il, que la clef du cabinet n'est point avec les autres ? – Il faut,
25 dit-elle, que je l'aie laissée là-haut sur ma table – Ne manquez pas, dit la Barbe bleue, de me la donner tantôt. » Après plusieurs remises, il fallut apporter la clef. La Barbe bleue l'ayant considérée, dit à sa femme : « Pourquoi y a-t-il du sang sur cette clef ? – Je n'en sais rien, répondit la pauvre femme, plus pâle que la mort. – Vous n'en savez
30 rien, reprit la Barbe bleue, je le sais bien, moi ; vous avez voulu entrer dans le cabinet ! Hé bien, Madame, vous y entrerez, et irez prendre votre place auprès des Dames que vous y avez vues. »

2 *Le narrateur voyage en Calabre avec pour compagnon un jeune homme inconscient du danger. Ils s'égarent et sont reçus par une famille de charbonniers dont la maison est remplie d'armes de toutes sortes.*

---

1. **Sablon :** sable fin et très blanc dont on se servait pour nettoyer les cuivres et l'argenterie.
2. **Grais :** autre orthographe de « grès », une roche très dure.

Textes et images

Le souper fini, on nous laisse ; nos hôtes couchaient en bas, nous dans la chambre haute où nous avions mangé. Une soupente élevée de sept à huit pieds, où l'on montait par une échelle, c'était là le coucher qui nous attendait... Mon camarade y grimpa seul et se coucha tout endormi... Moi, déterminé à veiller, je fis bon feu, et je m'assis auprès. La nuit s'était déjà passée presque entière assez tranquillement, et je commençais à me rassurer, quand sur l'heure où il me semblait que le jour ne pouvait être loin, j'entendis au-dessous de moi notre hôte et sa femme parler et se disputer ; et, prêtant l'oreille par la cheminée qui communiquait avec celle d'en bas, je distinguai parfaitement ces propos du mari : – Eh bien ! enfin, voyons, faut-il les tuer tous les deux ? À quoi la femme répondit : – Oui. Et je n'entendis plus rien.

Que vous dirai-je ? Je restai respirant à peine, tout mon corps froid comme un marbre... Nous deux presque sans armes, contre eux douze ou quinze qui en avaient tant ! Et mon camarade mort de sommeil et de fatigue ! L'appeler, faire du bruit, je n'osais ; m'échapper tout seul, je ne pouvais ; la fenêtre n'était guère haute, mais en bas deux gros dogues hurlant comme des loups... Au bout d'un quart d'heure, qui fut long, j'entends sur l'escalier quelqu'un, et, par les fentes de la porte, je vis le père, sa lampe dans une main, dans l'autre un de ses grands couteaux. Il montait, sa femme après lui, moi derrière la porte : il ouvrit ; mais avant d'entrer il posa la lampe que sa femme vint prendre ; puis il entra pieds nus, et elle de dehors disait à voix basse, masquant avec ses doigts le trop de lumière de la lampe : – Doucement ! va doucement ! Quand il fut à l'échelle, il monte, son couteau dans les dents ; et venu à la hauteur du lit, ce pauvre jeune homme étendu offrant sa gorge découverte, d'une main il prend son couteau, et de l'autre... il saisit un jambon qui pendait au plancher, en coupe une tranche, et se retire comme il était venu. La porte se referme, la lampe s'en va, et je reste seul à mes réflexions. Dès que le jour parut, toute la famille à grand bruit vint nous éveiller, comme nous l'avions recommandé. On apporta à manger : on sert un déjeuner fort propre, fort bon, je vous assure. Deux chapons

35 en faisaient partie, dont il fallait, dit notre hôtesse, emporter l'un et manger l'autre. En les voyant, je compris le sens de ces terribles mots : Faut-il les tuer tous deux…

3

1 Un juge, un commissaire, un magistrat, je ne sais de quelle espèce, vient de venir. Je lui ai demandé ma grâce en joignant les deux mains et en me traînant sur les deux genoux. Il m'a répondu, en souriant fatalement, si c'est là tout ce que j'avais à lui dire.

5 – Ma grâce ! ma grâce ! ai-je répété, ou, par pitié, cinq minutes encore ! Qui sait ? elle viendra peut-être ! Cela est si horrible, à mon âge, de mourir ainsi ! Des grâces qui arrivent au dernier moment, on l'a vu souvent. Et à qui fera-t-on grâce, monsieur, si ce n'est à moi ?

Cet exécrable bourreau ! il s'est approché du juge pour lui dire que 10 l'exécution devait être faite à une certaine heure, que cette heure approchait, qu'il était responsable, que d'ailleurs il pleut, et que cela risque de se rouiller.

– Eh, par pitié ! une minute pour attendre ma grâce[1] ! ou je me défends ! je mords !

15 Le juge et le bourreau sont sortis. Je suis seul. – Seul avec deux gendarmes.

Oh ! l'horrible peuple avec ses cris d'hyène ! – Qui sait si je ne lui échapperai pas ? si je ne serai pas sauvé ? si ma grâce ?… Il est impossible qu'on ne me fasse pas grâce !

20 Ah ! les misérables ! il me semble qu'on monte l'escalier..

QUATRE HEURES.

4 *Le narrateur, Bardamu, engagé volontaire de la Première Guerre mondiale, est pris sous le feu des Allemands. Son colonel se tient au milieu de la route, sous les balles, sans manifester aucune peur.*

---

1. **Une minute pour attendre ma grâce** : allusion aux dernières paroles de la comtesse Du Barry, favorite de Louis XV, demandant sur l'échafaud « encore une minute, monsieur le bourreau ».

Ces Allemands accroupis sur la route, têtus et tirailleurs, tiraient mal, mais ils semblaient avoir des balles à revendre, des pleins magasins sans doute. La guerre, décidément, n'était pas terminée ! Notre colonel, il faut dire ce qui est, manifestait une bravoure stupéfiante ! Il se promenait au beau milieu de la chaussée et puis de long en large parmi les trajectoires aussi simplement que s'il avait attendu un ami sur le quai de la gare, un peu impatient seulement.

[...] Ce colonel, c'était donc un monstre ! À présent, j'en étais assuré, pire qu'un chien, il n'imaginait pas son trépas ! Je conçus en même temps qu'il devait y en avoir beaucoup des comme lui dans notre armée, des braves, et puis tout autant sans doute dans l'armée d'en face. Qui savait combien ? Un, deux, plusieurs millions peut-être en tout ? Dès lors ma frousse devint panique. Avec des êtres semblables, cette imbécillité infernale pouvait durer indéfiniment... Pourquoi s'arrêteraient-ils ? Jamais je n'avais senti plus implacable la sentence des hommes et des choses.

Serais-je donc le seul lâche sur la terre ? pensais-je. Et avec quel effroi !... Perdu parmi deux millions de fous héroïques et déchaînés et armés jusqu'aux cheveux ? Avec casques, sans casques, sans chevaux, sur motos, hurlants, en autos, sifflants, tirailleurs, comploteurs, volants, à genoux, creusant, se défilant, caracolant dans les sentiers, pétaradant, enfermés sur la terre comme dans un cabanon, pour y tout détruire, Allemagne, France et Continents, tout ce qui respire, détruire, plus enragés que les chiens, adorant leur rage (ce que les chiens ne font pas), cent, mille fois plus enragés que mille chiens et tellement plus vicieux ! Nous étions jolis ! Décidément, je le concevais, je m'étais embarqué dans une croisade apocalyptique.

5

7

Dirigent:
Obermusikmeister
W. Hagemann
Potsdam
10000 Mk.
Seit Montag, dem 11. Juni
Der Schüler Kurt Klawitzky

✣ Étude des textes

Savoir lire

1. Le narrateur est-il intérieur ou extérieur à l'histoire dans chacun des récits ? Quel effet produit cette position du narrateur ?
2. Comment le narrateur du texte 2 maintient-il le suspense tout au long de son récit ? À quel moment est-il levé ?
3. Quel jugement Bardamu (texte 4) porte-t-il sur son colonel ? Comment élargit-il sa réflexion ?
4. Comment s'exprime la peur dans ces textes ? Vous penserez à observer le lexique et la ponctuation.

Savoir faire

5. Rédigez la fin du conte « La Barbe bleue ». Vous maintiendrez le suspense le plus longtemps possible et vous prendrez soin d'exprimer la terreur de la jeune femme.
6. Écrivez une morale en vers pour le conte de Perrault.
7. Lisez *Le Dernier Jour d'un condamné* de Victor Hugo et présentez le livre en classe.

✣ Étude des images

Savoir analyser

1. Expliquez pour chaque image comment s'exprime la peur. Observez les expressions du visage et les attitudes.
2. Observez pour chaque image ce qui peut provoquer la peur.
3. En dehors de la peur, quels autres sentiments Hitchcock (document 5) peut-il exprimer ?

Savoir faire

4. Recherchez des vignettes de bande dessinée où les personnages sont effrayés. Qu'est-ce qui les effraie ?
5. Faites un récit qui mette en scène les personnages suivants : Hitchcock, l'oiseau (document 5), la petite fille de *M le Maudit* et le personnage dont on voit l'ombre sur cette même image (document 7).
6. Faites un récit qui permette d'apporter une explication à l'image du film *The Secret beyond the Door* (document 6).

✣ Apparitions

Femmes aimées, mortes ou vivantes, anges, vampires, personnages de cauchemar, les apparitions, toujours inattendues, provoquent chez l'autre de terribles émotions. La précision de la description dans le récit, ou du trait du dessin permet d'asseoir leur réalité illusoire pour celui qui observe et qui s'interroge sans fin.

Documents :

1. Théophile Gautier, *Contes fantastiques*, « La Morte amoureuse » (1836).
2. Jules Verne, *Le Château des Carpathes*, chapitre XII (1892).
3. Victor Hugo, *Les Contemplations*, livre V, « Apparition » (1856).
4. Flaubert, *L'Éducation sentimentale* (1869).
5. *The Fearless Vampire Killers (Le Bal des vampires)*, réalisation Roman Polanski (1967).
6. Füssli, *Le Cauchemar* (1802).
7. Odilon Redon, *L'Homme ailé ou l'ange déchu*, peinture à l'huile (1890-1895).

1 *Le narrateur, un jeune prêtre, a été appelé auprès d'une mourante, Clarimonde. Il est arrivé trop tard, mais, attiré par la beauté de la femme, il dépose un baiser sur ses lèvres et ce léger souffle éveille la morte. Ramené chez lui inanimé, il se remet difficilement de ses émotions.*

1 J'avais à peine bu les premières gorgées du sommeil, que j'entendis ouvrir les rideaux de mon lit et glisser les anneaux sur les tringles avec un bruit éclatant ; je me soulevai brusquement sur le coude, et je vis une ombre de femme qui se tenait debout devant moi. Je
5 reconnus sur-le-champ Clarimonde. Elle portait à la main une petite lampe de la forme de celles qu'on met dans les tombeaux, dont la lueur donnait à ses doigts effilés une transparence rose qui se

prolongeait par une dégradation insensible jusque dans la blancheur opaque et laiteuse de son bras nu. Elle avait pour tout vêtement le
10 suaire de lin qui la recouvrait sur son lit de parade, dont elle retenait les plis sur sa poitrine, comme honteuse d'être si peu vêtue, mais sa petite main n'y suffisait pas, elle était si blanche, que la couleur de la draperie se confondait avec celle des chairs sous le pâle rayon de la lampe. Enveloppée de ce fin tissu qui trahissait tous les contours
15 de son corps, elle ressemblait à une statue de marbre de baigneuse antique plutôt qu'à une femme douée de vie. Morte ou vivante, statue ou femme, ombre ou corps, sa beauté était toujours la même ; seulement l'éclat vert de ses prunelles était un peu amorti[1], et sa bouche, si vermeille autrefois, n'était plus teintée que d'un rose
20 faible et tendre presque semblable à celui de ses joues. Les petites fleurs bleues que j'avais remarquées dans ses cheveux étaient tout à fait sèches et avaient presque perdu toutes leurs feuilles ; ce qui ne l'empêchait pas d'être charmante, si charmante que, malgré la singularité de l'aventure et la façon inexplicable dont elle était entrée
25 dans la chambre, je n'eus pas un instant de frayeur.
Elle posa la lampe sur la table et s'assit sur le pied de mon lit, puis elle me dit en se penchant vers moi avec cette voix argentine[2] et veloutée à la fois que je n'ai connue qu'à elle :
« Je me suis bien fait attendre, mon cher Romuald, et tu as dû croire
30 que je t'avais oublié [...]. »

2 *Le comte Franz de Télek voyage pour oublier la mort de sa fiancée, la cantatrice Stilla. Il arrive en Transylvanie et apprend que d'étranges phénomènes sont perçus par les habitants dans un château abandonné. Il découvre que la demeure appartient à Rodolphe de Gortz qui l'avait maudit à la mort de Stilla.*

1 Était-ce possible ? La Stilla, que Franz de Télek ne croyait jamais revoir, venait de lui apparaître sur le terre-plein du bastion !... Il

---

1. **Amorti :** affaibli.
2. **Argentine :** claire comme de l'argent.

n'avait pas été le jouet d'une illusion, et Rotzko l'avait vue comme lui !... C'était bien la grande artiste, vêtue de son costume d'Angélica, telle qu'elle s'était montrée au public à sa représentation d'adieu au théâtre San-Carlo !

L'effroyable vérité éclata aux yeux du jeune comte. Ainsi, cette femme adorée, celle qui allait devenir comtesse de Télek, était enfermée depuis cinq ans au milieu des montagnes transylvaines ! Ainsi, celle que Franz avait vue tomber morte en scène, avait survécu ! Ainsi, pendant qu'on le rapportait mourant à son hôtel, le baron Rodolphe avait pu pénétrer chez Stilla, l'enlever, l'entraîner dans ce château des Carpathes, et ce n'était qu'un cercueil vide que toute la population avait suivi, le lendemain, au *Campo Santo Nuovo* de Naples !

Tout cela paraissait incroyable, inadmissible, répulsif au bon sens. Cela tenait du prodige, cela était invraisemblable, et Franz aurait dû se le répéter jusqu'à l'obstination... Oui !... Mais un fait dominait : la Stilla avait été enlevée par le baron de Gortz, puisqu'elle était dans le burg !... Elle était vivante, puisqu'il venait de la voir au-dessus de cette muraille !... Il y avait là une certitude absolue.

Le jeune comte cherchait pourtant à se remettre du désordre de ses idées, qui, d'ailleurs, allaient se concentrer en une seule : arracher à Rodolphe de Gortz la Stilla, depuis cinq ans prisonnière au château des Carpathes !

3 Je vis un ange blanc qui passait sur ma tête ;
Son vol éblouissant apaisait la tempête,
Et faisait taire au loin la mer pleine de bruit.
– Qu'est-ce que tu viens faire, ange, dans cette nuit ?
Lui dis-je. – Il répondit : – je viens prendre ton âme. –
Et j'eus peur, car je vis que c'était une femme ;
Et je lui dis, tremblant et lui tendant les bras :
– Que me restera-t-il ? car tu t'envoleras. –
Il ne répondit pas ; le ciel que l'ombre assiège
S'éteignait... – Si tu prends mon âme, m'écriai-je,

Pour approfondir

Où l'emporteras-tu ? montre-moi dans quel lieu.
Il se taisait toujours. – Ô passant du ciel bleu,
Es-tu la mort ? lui dis-je, ou bien la vie ? –
Et la nuit augmentait sur mon âme ravie,
15 Et l'ange devint noir, et dit : – Je suis l'amour.
Mais son front sombre était plus charmant que le jour,
Et je voyais, dans l'ombre où brillaient ses prunelles,
Les astres à travers les plumes de ses ailes.

4 *Frédéric Moreau, un jeune homme de dix-huit ans, aperçoit, sur un bateau qui le conduit à Nogent-sur-Marne, madame Arnoux, l'épouse d'un riche marchand d'art.*

1 Ce fut comme une apparition :
Elle était assise, au milieu du banc, toute seule ; ou du moins il ne distingua personne, dans l'éblouissement que lui envoyèrent ses yeux. En même temps qu'il passait, elle leva la tête ; il fléchit invo-
5 lontairement les épaules ; et, quand il se fut mis plus loin, du même côté, il la regarda.
Elle avait un large chapeau de paille, avec des rubans roses qui palpitaient au vent derrière elle. Ses bandeaux noirs, contournant la pointe de ses grands sourcils, descendaient très bas et semblaient
10 presser amoureusement l'ovale de sa figure. Sa robe de mousseline claire, tachetée de petits pois, se répandait en plis nombreux. Elle était en train de broder quelque chose ; et son nez droit, son menton, toute sa personne se découpait sur le fond de l'air bleu.
Comme elle gardait la même attitude, il fit plusieurs tours de droite
15 et de gauche pour dissimuler sa manœuvre ; puis il se planta tout près de son ombrelle, posée contre le banc, et il affectait d'observer une chaloupe sur la rivière.
Jamais il n'avait vu cette splendeur de sa peau brune, la séduction de sa taille, ni cette finesse des doigts que la lumière traversait. Il
20 considérait son panier à ouvrage avec ébahissement, comme une chose extraordinaire. Quels étaient son nom, sa demeure, sa vie, son passé ? Il souhaitait connaître les meubles de sa chambre, toutes les

robes qu'elle avait portées, les gens qu'elle fréquentait ; et le désir de la possession physique même disparaissait sous une envie plus
25 profonde, dans une curiosité douloureuse qui n'avait pas de limites.

7

Étude des textes

Savoir lire

1. Pourquoi peut-on parler d'apparition pour chacun de ces extraits ? Quels textes pouvez-vous rapprocher ? Quel est celui qui est différent des autres ?
2. Comment peuvent s'expliquer les apparitions des textes 1, 2 et 3 ? Justifiez vos réponses.
3. Quels sentiments provoque chacune de ces apparitions ? Justifiez vos réponses en vous appuyant sur les procédés des textes.

Savoir faire

4. Clarimonde (document 1) explique au narrateur d'où elle vient. Elle décrit les lieux et précise comment elle en est sortie.
5. Lisez « La Morte amoureuse » ou un autre des *Contes fantastiques* de Gautier. Faites le résumé de l'histoire devant vos camarades, lisez un extrait du récit et terminez par une critique positive ou négative.

Étude des images

Savoir analyser

1. Pourquoi peut-on dire de chacune de ces images que c'est une « apparition » ?
2. Quel texte pourrait être illustré par le document 7 ?
3. Justifiez le titre « Le Cauchemar » (document 6).
4. Ces apparitions vous paraissent-elles effrayantes ou non ? Justifiez votre réponse.

Savoir faire

5. La femme endormie (document 6) se réveille. Elle raconte son cauchemar à une amie. Vous imaginerez son récit. L'amie intervient à plusieurs reprises.
6. Faites une illustration pour la nouvelle de Maupassant intitulée « Apparition ». Vous pouvez dessiner, peindre, faire un collage ou mêler les trois techniques. Inspirez-vous des illustrations.
7. Racontez ce qui se passe pendant le bal des vampires (document 5).

Vers le brevet

Sujet 1 : Maupassant, « La Peur », pages 22-23, lignes 56 à 91.

Questions

I - Le désert

1. « figurez-vous l'Océan lui-même devenu sable au milieu d'un ouragan » (l. 58-59). Étudiez cette image : quel est le comparé ? le comparant ? Dans le reste du paragraphe, relevez les éléments d'un champ lexical qui développe cette image. Quel est ce champ lexical ?
2. Quel est le champ sémantique du mot « désert » dans le texte ? Aidez-vous de la comparaison.
3. Quelles différences y a-t-il entre le désert et l'océan ? Justifiez votre réponse en vous appuyant sur le texte.
4. « le dévorant soleil du sud verse sa flamme implacable et directe » (l. 64-65). Quelle est cette figure de style ? Expliquez-la.
5. Quels sont le mode, le temps et la personne des verbes « figurez-vous » (l. 58-59) et « imaginez » (l. 60). Pourquoi le narrateur emploie-t-il cette forme verbale ?

II - Les personnages

1. Le narrateur est-il intérieur ou extérieur à l'histoire ? Justifiez votre réponse. Quel est l'intérêt de cette position du narrateur ?
2. « Nous étions deux amis » (l. 70). Comment se manifeste l'amitié qui lie les deux hommes ? Vous observerez le lexique et le comportement du personnage.
3. Expliquez et justifiez l'enchaînement des trois groupes nominaux des lignes 81-82 : « mon compagnon, mon ami, presque mon frère ». Quel effet produit cet enchaînement ?

4. Pourquoi ces personnages traversent-ils le désert ? Expliquez votre réponse.
5. À qui fait allusion le narrateur lorsqu'il dit « un de nos hommes » (l. 73) ? Qui sont, plus précisément, « les Arabes » de la ligne 80 ? Quel rôle jouent-ils dans le récit ?

III - Un événement terrifiant

1. Relevez les adjectifs qui expriment le caractère incompréhensible du phénomène du tambour.
2. Quel est le sens du mot « intermittent » ? (l. 86). Relevez un passage du texte qui justifie l'emploi de ce mot.
3. Donnez la nature et la fonction du groupe de mots : « le mystérieux tambour des dunes » (l. 77).
4. Comment expliquez-vous les répétitions de mots dans le paragraphe : « Quelque part, près de nous [...] son roulement fantastique » (l. 76-79).
5. « Nous ne parlions plus [...] Soudain un de nos hommes poussa une sorte de cri » : quels sont les temps des verbes ? Justifiez leur emploi.
6. Quelle explication le narrateur donne-t-il à la mort de son ami ? Relevez trois expressions qui justifient cette explication.
7. En quoi cette mort a-t-elle aussi quelque chose de fantastique ? Appuyez-vous sur le texte pour justifier votre réponse.

Réécriture

Réécrivez le passage de la ligne 70 à la ligne 75 (« Nous étions deux amis [...] en ces contrées perdues »). Vous remplacerez le pronom « nous » par le pronom « elles ». Vous effectuerez toutes les modifications qui s'imposent. Les fautes de copie seront pénalisées.

Rédaction

Un bruit inhabituel déclenche en vous une terrible frayeur.
Vous en comprenez plus tard l'origine. Vous faites le récit de votre peur à un (ou une) de vos amis. Il interviendra à plusieurs reprises pour exprimer ses réactions ou demander des explications.

Vous respecterez la situation d'énonciation. Vous devrez exprimer vos sentiments avec précision.
Il sera tenu compte de l'intérêt et de l'originalité de votre récit.
La langue sera soutenue ou courante, jamais familière.
Il sera tenu compte de la correction de la langue et de la présentation.

Petite méthode pour la rédaction

- Lire attentivement le sujet et souligner les termes clefs.
- Écrire au brouillon les contraintes qui vous sont imposées : le thème précis (bruit inhabituel, terrible frayeur), la forme du discours (un récit dans lequel seront insérés des passages dialogués), la situation de communication (vous… un ami), le niveau de langue (soutenu, courant). On peut vous donner des contraintes complémentaires : expression des sentiments, évolution du récit : bruit inhabituel, frayeur, explication du bruit.
- Utiliser le texte pour en tirer des idées, du vocabulaire (expression de la peur).

Sujet 2 : texte 4, p. 101-102, *Voyage au bout de la nuit*, Céline.

Questions

I - Le narrateur

1. Le narrateur est-il intérieur ou extérieur à l'histoire ? Quel est l'intérêt de cette position du narrateur ?
2. Relevez dans le texte tous les verbes qui marquent la réflexion du narrateur.
3. Relevez trois noms qui expriment la peur. Quel est le niveau de langue de chacun d'eux ?
4. « Serais-je donc le seul lâche sur la terre ? » (l. 17) : quel est le mode, le temps et la personne du verbe ? Justifiez son emploi.
5. « Nous étions jolis ! » (avant-dernière ligne). Quelle est la forme de la phrase ? Que veut dire exactement le narrateur ? Sur quel ton cette phrase est-elle dite ?
6. « Avec des êtres semblables, cette imbécillité infernale pouvait durer indéfiniment... » (l. 13-14). Que signifient les points de suspension ?
7. « Pourquoi s'arrêteraient-ils ? » Quelle est la forme de la phrase ? Quelle réponse est attendue ? (l. 15). Pourquoi le narrateur emploie-t-il cette forme de phrase ?
8. Quel est le registre de ce texte ?

II - Les Allemands et le colonel

1. Relevez dans la première phrase une sonorité imitative et expliquez-la.
2. Délimitez les propositions de la première phrase. Sont-elles juxtaposées, coordonnées ou subordonnées ?
3. À quel temps sont les verbes de la première phrase ? Justifiez son emploi.

4. « Une bravoure stupéfiante » (l. 4) : quelle est la nature et la fonction de ce groupe de mots ? Trouvez un adjectif et un verbe qui ont la même racine que « bravoure » et donnez le sens de ce mot.
5. « Il se promenait » (l. 5) : quel verbe est plutôt attendu dans une telle situation ? Pourquoi le narrateur a-t-il choisi le verbe « se promener » ?
6. « Notre colonel » (l. 3-4), « ce colonel » (l. 8) : donnez la nature des mots « notre » et « ce ». Expliquez le passage de l'un à l'autre.
7. Pourquoi le narrateur qualifie-t-il le colonel de monstre ?

III - Une critique de la guerre

1. « Je conçus en même temps qu'il devait y en avoir beaucoup des comme lui dans notre armée, des braves, et puis tout autant sans doute dans l'armée d'en face » (l. 9-12). Quels procédés indiquent que le narrateur passe d'une situation particulière à un propos général ?
2. « Notre colonel » (l. 3-4), « Nous étions jolis ! » (l. 26). Que représente la première personne du pluriel dans chaque groupe de mots ? Comment s'explique l'évolution d'un sens à l'autre ?
3. Relevez dans tout le texte le champ lexical du courage et celui de la folie. Dans quelle expression ces deux champs lexicaux sont-ils liés ? Expliquez cette expression.
4. Relevez dans le texte les passages où les hommes sont comparés à des chiens. Quel est le sens de cette comparaison ?

Réécriture

Réécrivez le passage de la ligne 8 à la ligne 12 : « Ce colonel, c'était donc un monstre ! [...] dans l'armée d'en face. » Vous remplacerez « ce colonel » par « ces colonels » et vous mettrez ce passage au présent. Vous effectuerez toutes les modifications qui s'imposent. Les fautes de copie seront sanctionnées.

Rédaction

Écrivez une suite à cet extrait du *Voyage au bout de la nuit*. Après les réflexions du narrateur sur la guerre, vous reprendrez le récit là où il a été laissé : le colonel est au milieu de la route, les Allemands tirent sur lui. Le narrateur jouera un petit rôle dans l'action. Il pourra revenir à ses réflexions à la fin.
Vous devez respecter le système d'énonciation.
Vous vous efforcerez d'imiter le style de Céline. La langue sera soutenue, mais pourra à une ou deux reprises être familière.
Il sera tenu compte de la correction de la langue et de la présentation.

Petite méthode pour la rédaction

- Pour écrire la suite d'un texte, il faut respecter les données du texte d'origine, et imaginer une suite qui suscite l'intérêt du lecteur.
- Il faut nécessairement observer : le genre du texte (théâtre, poésie, roman…), le sous-genre (roman réaliste, policier…) ; le lieu et le moment ; le caractère des personnages ; la position du narrateur ; le point de vue (interne, externe, omniscient) ; le niveau de langue ; la longueur des phrases ; la ponctuation ; le registre (comique, pathétique, polémique…).
- L'intérêt du lecteur est éveillé par l'originalité d'une suite bien pensée et par un style travaillé.

Sujet 3 : texte 1 p. 107, « La Morte amoureuse », Théophile Gautier.

Questions

I - Clarimonde, la morte

1. À quel temps sont les verbes « portait » (l. 5) et « donnait » (l. 7) ? Donnez la valeur de ce temps et justifiez son emploi dans le texte.
2. Relevez les termes qui appartiennent au champ lexical de la mort dans le passage : « Elle portait à la main [...] rayon de la lampe » (l. 5-14). Quels mots évoquent la mort par connotation ?
3. Dans la phrase : « Enveloppée de ce fin tissu [...] à une femme douée de vie » (l. 14-16), délimitez les propositions et indiquez si elles sont coordonnées, juxtaposées ou subordonnées.
4. Relevez une comparaison dans cette phrase. Quel est le comparé ? le comparant ? les points communs qui permettent le rapprochement ?

II - Clarimonde, la belle courtisane

1. Quels éléments du corps de Clarimonde sont décrits successivement ? Comment est organisée la description du personnage ?
2. Dans le passage : « Elle avait pour tout vêtement [...] le pâle rayon de la lampe » (l. 9-14), qu'est-ce qui met en valeur la beauté de la jeune femme ? Quel trait de caractère ressort de son attitude ?
3. Dans la phrase que prononce Clarimonde, qu'est-ce qui permet de penser qu'elle est amoureuse de Romuald ?

III - Le narrateur sous le charme

1. Le narrateur est-il intérieur ou extérieur à l'histoire ? Qui est-il ?
2. Le personnage est-il éveillé ou endormi ? Justifiez votre réponse.
3. À quels temps sont les verbes « j'avais [...] bu » et « j'entendis » dans la première phrase. Justifiez l'emploi de ces temps.
4. Que signifie le nom « singularité » dans l'expression « la singularité de l'aventure » (l. 23-24) ; quel adjectif correspond à ce nom ? En quoi peut-on parler de la singularité de l'aventure qui arrive au héros ?
5. Relevez deux passages qui mettent en valeur les réactions du narrateur devant la beauté de la jeune femme.

Réécriture

Réécrivez la première phrase (l. 1 à l. 4) au discours indirect. Vous commencerez par : « Il dit que ». Vous effectuerez toutes les modifications qui s'imposent. Les fautes de copie seront pénalisées.

Rédaction

Faites la description d'une apparition. Le narrateur sera extérieur. Vous reprendrez la première phrase du texte à la troisième personne : « Il avait à peine bu les premières gorgées du sommeil » et vous remplacerez : « une ombre de femme » par un autre groupe nominal (« une ombre de Martien » par exemple). Vous ferez ensuite une description en prenant le point de vue du personnage et vous exprimerez ses réactions.
Vous respecterez le système d'énonciation.
La description sera subjective, détaillée et organisée.
Il sera tenu compte de la correction de la langue et de la présentation.

Petite méthode pour la rédaction

• Dans une description subjective, les lieux, les personnages sont vus à travers le regard d'un personnage du récit.

• On doit y trouver des verbes de perception (voir, entendre, sentir), des modalisateurs, des termes appréciatifs (adjectifs mélioratifs ou dépréciatifs), un lexique des sentiments et une ponctuation expressive (points d'interrogation, d'exclamation, de suspension).

✣ Autre sujet d'entraînement

Sujet : Maupassant, « La Main », l. 9 à 69, p. 38-40.

1. Délimitez les trois parties du texte. Observez les sujets des verbes pour vous aider. Justifiez votre réponse en donnant un titre à chaque partie.
2. Quelle est la classe grammaticale de « on » (lignes 13 et 15) ? Que représente-t-il ? Quel est le sens du verbe « prétendre » (l. 57) ? Relevez un nom à la fin du texte qui exprime la même idée.
3. Quel est le sens de l'adjectif « singulier » (l. 52) ? En quoi sir John Rowell peut-il paraître « singulier » ?
4. « Je voulus, *en ma qualité de juge d'instruction*, prendre quelques renseignements sur cet homme ». Remplacez le groupe nominal en italique par une proposition subordonnée dont vous donnerez la fonction. Pourquoi le narrateur cherche-t-il à mieux connaître l'Anglais ?

Outils de lecture

Anaphore : répétition d'un mot ou d'un groupe de mots en début de phrase, de vers ou à la même place dans une phrase (avant ou après la virgule par exemple).

Antithèse : figure de style qui établit une opposition entre deux idées.

Champ lexical : ensemble de mots qui se rapportent à une même idée.

Champ sémantique : ensemble des sens d'un mot dans le dictionnaire ou dans un texte (que ce soit par dénotation ou par connotation). Les notions de champ lexical et de champ sémantique étant très liées, on parle souvent de **champ lexico-sémantique**.
Cette notion est importante pour analyser un texte, car elle permet de dégager les thèmes principaux.

Comparaison : figure qui met en relation un terme (le comparé) avec un autre terme (le comparant). Ces deux termes appartenant à deux champs de la réalité différents sont rapprochés parce qu'ils comportent des points communs. Le rapprochement est opéré explicitement par un outil de comparaison.

Connecteurs logiques : conjonctions de coordination et adverbes qui marquent les relations logiques entre les idées.

Connotation et dénotation : la dénotation est le sens objectif d'un mot, tel qu'il est donné dans le dictionnaire. La connotation est le sens subjectif d'un mot, sa valeur affective ou culturelle. Elle est variable en fonction du contexte.

Description subjective : description dans laquelle l'énonciateur se révèle dans sa subjectivité. Il laisse des traces de son affectivité, de son appréciation méliorative ou péjorative, de sa volonté.

Ellipse : dans un récit, c'est une partie de l'histoire qui n'est pas racontée.

Énonciation : on appelle énonciation tout acte de langage. L'énoncé est le produit linguistique de cet acte. L'énonciateur est celui qui produit l'énoncé. Les indices d'énonciation sont les termes qui désignent le locuteur, l'interlocuteur et le repérage spatio-temporel.

Hyperbole : c'est l'ensemble des procédés d'exagération. Il s'agit d'augmenter ou de diminuer excessivement la réalité que l'on veut exprimer.

Implicite, explicite : ce qui est dit de manière non cachée est explicite. Ce qui est dit de manière indirecte est implicite.

Locuteur : c'est un être fictif qui prend la responsabilité de l'énonciation (figure du poète dans un texte poétique, du narrateur dans un récit, du personnage dans un pièce de théâtre).

Maxime : c'est une formule à la fois brève et frappante qui énonce un précepte moral ou une vérité psychologique.

Métaphore : la métaphore est une comparaison sans outil de comparaison pour opérer le rapprochement entre le comparé et le comparant.

Naturalisme : mouvement littéraire de la deuxième moitié du XIXe siècle, mené par Zola dans la continuité du réalisme. Les écrivains naturalistes s'appuient sur des bases scientifiques pour donner une image exacte de l'homme et de la société.

Oxymore : figure qui consiste à accoler deux termes apparemment contradictoires dans un même groupe de mots.

Point de vue ou focalisation : désigne la manière dont le narrateur donne à voir au lecteur les événements qu'il rapporte. La focalisation est **interne** quand la vision est subjective, limitée à un seul personnage. La focalisation est **externe** quand la vision est objective, comme celle d'un témoin qui observe les événements de l'extérieur ou comme celle d'une caméra. La focalisation **zéro** est le point de vue d'un narrateur omniscient.

Réalisme : courant littéraire et artistique qui se développe à partir de 1850. Les auteurs réalistes veulent donner une image fidèle de la réalité sans chercher à l'embellir. Leur travail s'appuie sur une documentation.

Bibliographie et filmographie

Quelques œuvres de Maupassant

Romans

Une vie (1883)

◗ Raconte la vie de Jeanne, la fille d'un baron de Normandie. Sortie la tête pleine de rêves d'un couvent, la jeune fille, mariée avec un homme brutal et inconstant, passe de désillusion en désillusion.

Bel-Ami (1885)

◗ Le roman raconte l'ascension d'un journaliste sans talent et sans scrupules. C'est l'occasion pour Maupassant de donner un tableau satirique de la société parisienne et de la presse.

Pierre et Jean (1888)

◗ Un ami de la famille offre à l'un des deux frères un héritage important, laissant l'autre sans rien. Un drame intime se déclenche qui conduit Pierre et Jean à s'interroger sur leur naissance.

Contes et nouvelles

Boule de suif (1880)

◗ C'est la nouvelle qui a rendu Maupassant célèbre. Flaubert considère que c'est un chef-d'œuvre. L'histoire se déroule dans une diligence et une auberge pendant la guerre de 1870. Une prostituée se sacrifie pour ses compatriotes qui la méprisent.

Le Horla et autres contes fantastiques (1887)

◗ Le narrateur du « Horla » raconte dans son journal qu'un être invisible boit sa vie, s'empare de son corps et de son esprit. Il lutte avec angoisse contre la folie.

Maupassant au cinéma et à la télévision

Diary of a Madman (L'Étrange Histoire du juge Cordier).

◗ Réalisation de Reginald le Borg, 1962. Interprètes : Vincent Price, Nancy Kovack, Chris Warfield, Blaine Devry. Le film est inspiré de la nouvelle du « Horla ».

« Chez Maupassant »

◗ Anthologie faite pour la télévision et diffusée sur France 2 en 2007 et 2008. C'est une série de seize épisodes, créée par Gérard Jourd'hui et Gaëlle Girre. Chaque épisode s'inspire d'une nouvelle de Maupassant parmi lesquelles : « La Parure », « Miss Harriet », « Le Rosier de Madame Husson ».

Œuvres sur le même thème

E.T.A. Hoffmann, ***L'Homme au sable*** (1817)

◗ Nathanaël est traumatisé par la mort de son père dont il rend Coppelius responsable. Il l'assimile à « l'homme au sable », personnage de conte qui envoie du sable dans les yeux des enfants avant de les leur arracher. Quand il est devenu adulte, Coppola, un opticien ambulant, réanime ses angoisses.

P. Mérimée, ***La Vénus d'Ille*** (1837)

◗ Alphonse de Peyrehorade doit se marier le jour même avec une jeune héritière. Il glisse la bague, destinée à sa future épouse, au doigt d'une antique statue de Vénus avant de jouer au jeu de paume. L'étrange statue refuse de lui rendre l'anneau.

H.G. Wells, ***La Chambre rouge*** (1896)

◗ Un jeune homme téméraire décide de passer une nuit dans la chambre rouge d'un vieux manoir. Tout le monde sait qu'elle est hantée. L'angoisse le saisit peu à peu. Il a beau allumer de nouvelles bougies, elles ne cessent de s'éteindre.

Le thème au cinéma

Alfred Hitchcock (1893-1980)

◗ Réalisateur, scénariste, producteur et acteur de cinéma anglais naturalisé américain. Il a réalisé de nombreux films à suspense d'une grande intensité. On peut citer : *Sueurs froides, La Mort aux trousses, Psychose, Les Oiseaux*. Il fait une apparition éclair dans chacun de ses films, une sorte de clin d'œil au spectateur.

Scream, de Wes Craven (1996)

◗ Film d'horreur sur un scénario de Kevin Williamson.
Un tueur en série harcèle ses victimes au téléphone avant de les tuer. Une journaliste de la presse à scandale et un inspecteur de police pas très intelligent mènent l'enquête.

Crédits photographiques

Couverture	Dessin Alain Boyer
7	Ph. Coll. Archives Larbor
11	repris page 18 : Bibliothèque nationale de France, Paris – Ph. Coll. Archives Larbor
103	Alfred J. Hitchcock Productions, Universal Pictures – Ph. © Coll. Archives Larbor
104	Diana Production Compagny – Ph. Coll. Archives Larbor
105	Nero Film AG – Ph. Coll. Archives Larbor
111	Prod. Cadre Films. Ph. Coll. Archives Larbor
112	Goethe Museum, Francfort © Heritage Images / Leemage
113	Musée des Beaux-Arts, Bordeaux – Ph. Alain Danvers © Archives Larbor

Direction de la collection : Line KAROUBI
Direction éditoriale : Frédéric HABOURY
Édition : Marie-Hélène CHRISTENSEN
Lecture-correction : service lecture-correction LAROUSSE
Recherche iconographique : Valérie PERRIN, Agnès CALVO
Direction artistique : Uli MEINDL
Couverture et maquette intérieure : Serge CORTESI, Sophie RIVOIRE, Uli MEINDL
Responsable de fabrication : Marlène DELBEKEN

Photocomposition : CGI
Impression : Rotolito Lombarda (Italie)
Dépôt légal : juin 2009
N° Projet : 11007546 – Juin 2009